Sombres citrouilles

Malika Ferdjoukh

Sombres citrouilles

l'école des loisirs

11, rue de Sèvres, Paris 6e

Du même auteur, à *l'école des loisirs*

Collection MÉDIUM

Faux numéro
Quatre sœurs (tome 1) : *Enid*
Quatre sœurs (tome 2) : *Hortense*
Quatre sœurs (tome 3) : *Bettina*
Quatre sœurs (tome 4) : *Geneviève*
Quatre sœurs (l'intégrale)
La bobine d'Alfred

Collection M+

Fais-moi peur
Rome l'enfer
Boum
Taille 42
Broadway Limited (tome 1) : *Un dîner avec Cary Grant*
Broadway Limited (tome 2) : *Un shim sham avec Fred Astaire*
Broadway Limited (tome 3) : *Un thé avec Grace Kelly*

© 2015, l'école des loisirs, Paris, pour l'édition M+ poche
© 1999, l'école des loisirs, Paris, pour la première édition
Loi n° 49.956 du 16 juillet 1949 sur les publications
destinées à la jeunesse : septembre 1999
Dépôt légal : juin 2021
Imprimé en France

ISBN 978-2-211-22327-0

« Peut-être allais-je enfin être admis dans le monde des adultes… Ah, belle jeunesse, que nous sommes donc pressés de nous débarrasser de toi quand nous sommes enfants, et avec quelle nostalgie nous songeons à toi avant même d'avoir atteint la moitié de notre vie d'homme ! »

Les Contrebandiers de Moonfleet,
roman de John Meade Falkner

« *Les enfants sont des pestes. Je n'imagine pas que l'on puisse avoir seulement envie de vivre avec l'un d'eux.* »

Les Contrebandiers de Moonfleet,
film de Fritz Lang

Pour mes professeurs, bonnes fées ou magiciens, qui ont forcément modifié le cours de ma vie :
Sœur Élisabeth, Mademoiselle Gueudré
Alain Garsault, Jacques Guérif

Pour T.M. et D.H., tous deux nés un 31 octobre

Cette histoire fut élaborée et mûrie lors d'une résidence d'écrivain à La Rochelle. L'auteur en remercie chaleureusement l'Office du livre en Poitou-Charentes ainsi que la ville de la Rochelle, et plus particulièrement Xavier Person, Bruno Carbone, et Michèle Prévôt.

PROLOGUE

HERMÈS

L'homme était allongé sur la terre du potager.

— Il dort ? demanda Colin-Six ans qui fit rebondir deux fois son diabolo avant de s'arrêter pour un examen plus sérieux de la situation. Il dort ? répéta-t-il. Cette fois en chuchotant.

— Il a les yeux ouverts, nota Violette.

— Papigrand, articula Annette de sa façon bien à elle d'articuler (c'est-à-dire inarticulée), Papigrand aussi, il dort les yeux ouverts.

L'homme se trouvait très exactement sous le noisetier.

Noisetier que Pinède le jardinier appelait c'te-sal'té -qui-donne-que-dalle-qu'on-f'rait-mieux-d'faire- un-feu-avec ; que Papigrand appelait ce-bazar-de- Dieu-de-paquets-de-nœuds-de-noisetier, ou que l'on trouvait sous la rubrique *Corylus avellana* dans les belles pages nervurées de l'herbier de Mamigrand.

Au pied du noisetier, donc, en bordure du muret ouest, à trois pas du carré de courges, l'inconnu blond, assez jeune, un peu jaune, était horizontalement immobile.

Comme ça, sur le dos, il paraissait long. Ses bras en particulier. Les poignets descendaient plus bas que les pans de sa veste à la drôle de couleur, un pied-de-coq brun qui évoquait terriblement les cookies de Clara. Sa main gauche était gentiment posée au creux des feuilles mortes, ouverte.

— On lui crie « coucou » ?

— Ça va le réveiller.

— Justement.

— Et si ça le met en colère ? Il va nous...

Colin-Six ans regarda la maison derrière, les collines par-delà les murs, le village entre les collines, les vapeurs basses des marais... Dans la rousse matinée d'automne, l'unique silhouette humaine était celle de M. Bouh ! l'épouvantail aux bras écartés au milieu des labours.

— ... nous engueuler, acheva Colin-Six ans, chuchotant toujours.

Avec la poignée de son diabolo, il chatouilla la

paume si gentiment ouverte au creux des feuilles, et qui semblait n'attendre que ça, des chatouilles. Rien ne se passa.

Il fit ensuite le tour du bonhomme pour lui tâter cette fois le menton :

— Monsieur ? dit-il.

— Monsieur ? dit Violette.

— Monsieur ? répéta Annette de sa façon à elle de répéter.

Une feuille marron se détacha et tomba de l'arbre sur les pointes, en tournant, jusqu'au ventre du monsieur, ce monsieur couché sur le dos que personne ne connaissait. Annette s'accroupit, de sa façon à elle — la seule qu'elle pouvait — de s'accroupir, en se laissant, blam, tomber en tas sur le sol.

— Vous faites la sieste ? demanda-t-elle.

Prononcé par elle, ç'aurait pu être «Où est la rillette», «Hou, fais risette», ou «Pouet Sylvette»... Mais tout le monde avait traduit. Deviné. L'habitude.

Elle tira doucement sur la veste cookie, et le bras droit du monsieur bougea. On vit le coude s'affaisser sur la terre humide, glisser, puis la main aller s'enfouir aussi gentiment que la gauche, de l'autre côté du corps, dans les feuilles sèches. Un Kleenex froissé roula. Puis rien.

Sauf qu'Annette poussa un petit cri, et Violette aussi. On aurait juré le même petit cri. Il faut dire qu'Annette et Violette sont jumelles.

— C'est rouge.

Le polo beige sous la veste était tout taché en effet. Colin-Six ans fit un léger bond de côté, le diabolo lui-même sursauta.

Violette saisit sa sœur par la main pour l'aider à se remettre debout. Avec ses mouvements en bazar, Annette faisait penser à un veau âgé d'une heure.

— Y a du vert aussi.

— Mais y a quand même plus de rouge que de vert.

— C'est de l'herbe écrabouillée, le vert.

— Le rouge…

— C'est du sang.

Tous les trois, Violette, Annette, Colin-Six ans, se penchèrent en rond. Il y eut un long, un profond silence. Impossible de croire plus longtemps au sommeil du monsieur. Pourtant…

— Qu'est-ce qu'il ferait couché là sinon ? répondit Violette à la question que personne n'avait posée et que tout le monde se posait.

Un craquement minuscule dans les airs… Toutes les têtes se levèrent. Une noisette décidait de quitter définitivement la saleté de bazar de paquet de nœuds de *Corylus avellana*. Elle se tortilla trois secondes et demie sur sa branche, fit grouich avant de s'expédier en un direct effarant sur l'œil ouvert de l'homme.

Je veux dire qu'elle lui dégringola droit sur le globe oculaire et que la paupière ne se ferma pas. La noisette fit une cabriole verte entre le nez et la joue. Et s'y cala.

J'ai l'air d'un monumental imbécile, mais la vérité est que je compris à cet instant seulement que ce corps étendu à trois pas du carré de courges dans le potager de nos grands-parents, cet homme inconnu que nous observions, Violette, Colin-Six ans, Annette, et moi, depuis cinq minutes, était un mort.

— Il est mort, dis-je.

Les petits ne parurent pas plus étonnés que ça. Comme s'ils l'avaient toujours su.

— À cause qu'il est tombé ? demanda Colin-Six ans.

— Ou tombé parce qu'il est mort ? fit Violette, mélodramatique mais rhétorique.

En contrebas, l'église du village sonna midi. Alors, comme à un signal, personne ne parla plus, et l'on bougea à peine.

Le carillon cognait le silence de la campagne autour, et montait plus haut que les fumées des Frissons, les marécages au bas des collines, et nous, nous regardions fixement le mort à nos pieds, et sa veste, et ses mains ouvertes – moins gentiment à ce qui nous semblait soudain – et les taches rouges sur le polo beige, et nous comptions chaque coup du clocher, comme si compter était devenu subitement la chose la plus importante du monde, quatre, cinq, six... et je me demandais ce qu'il faudrait faire après. Après le douzième coup.

C'est long, douze coups.

Très très très très long.

Avec l'écho surtout...

Assez pour prendre une décision, pas suffisant pour que ce soit la bonne. Oui, sans cette foutue cloche, j'en suis certain, sans elle, les choses auraient été moins tordues, j'aurais moins réfléchi, je n'aurais jamais soufflé aux petits :

– Allez ! on le planque... Faut pas qu'on le trouve.

CE QUI S'ÉTAIT PASSÉ AVANT
(QU'ON TROUVE LE MONSIEUR DANS LE POTAGER)

LA COLLINIÈRE À L'AUBE

Chaque matin, la maison sur la colline s'éveillait petit à petit, et dans la même chronologie. Il n'y avait aucune raison pour que ce matin d'automne fût différent. Il ne le fut pas.

Enfin, pas totalement.

Cela commença avec les six coups au clocher du village, quand la chatte White Spirit s'étira et réveilla son petit, Olismok. Après quoi, tout demeura encore un temps dans le silence et les ombres.

Le jour peinait à se lever. Il n'éclairait que le bas de l'escalier en courbe qui montait du hall, et aussi, mais très mal, la porte en bois cachée dessous et qui était celle d'un cagibi.

Il fallut vingt bonnes minutes avant de voir apparaître la première âme humaine : Clara, derrière son tablier ciré.

Le chaton lui gambada autour, dans la lumière pâle, comme un petit fantôme à poils et à électricité. Clara s'en débarrassa avec une écuelle de Whiskas, elle alla ensuite allumer la cheminée de la salle à manger.

De retour en cuisine, elle commença à préparer le petit déjeuner pour toute la maison. C'était une grande maison ce matin! Près de dix personnes... Et, demain, davantage encore!

La pendule lança son léger tintement de moins le quart à l'instant où Clara mettait la bouilloire à chauffer.

Clara était la cuisinière de la maison. Du moins c'est ainsi que ses patrons la présentaient (mais ils ne la présentaient pas souvent, et d'ailleurs à qui?)

En réalité, Clara s'occupait de tout. Elle lavait, repassait, pliait le linge, le gros, le petit, lessivait, nettoyait, cirait les parquets, astiquait les vitres, briquait et rangeait la collection de théières de Mme Coudrier ainsi que les coupes en argent gagnées par Monsieur dans sa jeunesse à ses championnats de tennis; et quand la famille entière se réunissait, comme en ce moment, à cause de l'anniversaire de Monsieur qui tombait le 31 octobre (aujourd'hui) il n'y avait rien dont Clara ne s'occupât.

Longtemps auparavant, elle avait eu à laver les couches, à essuyer le vomi des bébés. Et quand Monsieur avait eu son accident qui l'avait cloué au lit des mois durant, c'est elle qui s'était occupée de lui donner le bassin. Madame en était incapable. Elle

disait : «Vous vous en chargez, n'est-ce pas, Clara ?
Moi, je ne saurai pas.»

Les bébés avaient grandi, étaient devenus des
mères, des oncles, des tantes ; et Monsieur était
demeuré pour toujours dans un fauteuil roulant.

Clara travaillait à la Collinière, au service des
Coudrier depuis vingt et un ans.

Madame n'allait plus tarder à descendre. Surtout
avec les préparatifs de l'anniversaire. Pendant que le
café passait, Clara enfila un gilet et sortit dans le petit
matin d'automne.

L'allée était couverte de feuilles sèches. Clara tira
la brouette de l'appentis et la poussa dans le potager
jusqu'au parterre de courges.

Là, elle sortit un couteau de sa poche de tablier
pour couper deux citrouilles et deux potirons
qu'elle souleva du sol avec peine, chacun pesant
bien ses six à huit kilos. Mme Coudrier avait inscrit
les noms sur des languettes piquées en terre. Si Clara
avait su lire, elle aurait appris que celui-ci était un
Hubbard, cet autre le *Rouge vif d'Étampes*, et ceux-là
des *Galeux d'Eysines*...

Mais, les noms, elle s'en fichait. Clara savait, d'un
regard, distinguer le meilleur potiron, la meilleure
citrouille, et un potiron d'une citrouille.

Elle savait aussi qu'ils détestaient que l'on pointe le doigt sur eux, que par vengeance ils devenaient secs et immangeables, mais quand elle parlait de ces choses à Madame, Madame haussait les épaules et faisait la bouche qui pince.

Clara les choisit charnus, avec de belles fesses et une couleur dodue.

Un bruit de pas sur les feuilles la fit se retourner. Un homme venait d'entrer dans le potager et marchait dans sa direction. Ce qu'elle aperçut de lui d'abord fut le motif pied-de-coq de sa veste brune. Quand il fut un peu plus près, dans l'allée, elle le reconnut.

— Bonjour, dit-il avec ce large sourire qu'elle n'aimait pas beaucoup.

Elle essuya le couteau sur sa manche de gilet et se remit à élaguer tiges et feuilles.

— B'jour, marmonna-t-elle en gardant les yeux baissés.

MADELEINE

Je me suis réveillée d'un bond, comme avec une alarme dans la tête, et mon cœur qui battait, mes paupières qui piquaient, j'ai pensé : « C'est aujourd'hui ! Aujourd'hui tu seras en face de lui, tu vas le revoir ! » et mon cœur a battu plus vite, plus fort, encore plus douloureux. Et délicieux, aussi.

On est cinq dans notre dortoir, mais le jour était si maigre qu'aucune des filles n'a ouvert l'œil ni remué l'oreille lorsque je me suis glissée hors de mon lit, pas même cette niaise d'Eunice, ni Laurie qui m'avait tellement encouragée lorsque je lui ai expliqué que j'allais quitter l'internat avant tout le monde.

Laurie a beau être ma meilleure amie, elle a le bon goût de m'étonner encore.

À la fête de juin par exemple, elle m'a bluffée, et pas seulement moi, mais aussi la classe et les profs, quand elle a interprété Paola de Santis dans *Le Prince de Taormine* face à Augustin, un pion des terminales qui jouait, lui, le prince Giandolio. Aux répétitions ils se donnaient un baiser de théâtre, Laurie m'avait expliqué : « Tu mets tes lèvres dans le creux du menton, comme si tu embrassais une poire avec la peau, en moins froid, tu vois Mad ? »

Pas bien, non. Pour la bonne raison que je n'avais aucun baiser, véritable ou de théâtre, à donner ou à recevoir dans l'immédiat... Mais revenons au *Prince de Taormine*.

Le jour de la représentation, devant les six cents élèves des deux internats, filles et garçons, devant les professeurs et les conseils d'administration, devant les parents endimanchés, le prince Giandolio (Augustin donc!), fou d'amour, déchaîné, s'exclame : « Pour une nuit avec vous il n'est rien que je ne donnerais, belle Paola, nul que je ne tuerais! »... Alors, lui et Laurie se tombent brusquement dans les bras, ils s'attrapent au cou, à la bouche, aux hanches, et les voilà qui s'embrassent, et s'embrassent, pendant vingt millions de minutes au moins.

Dans la salle on n'entend plus rien, que l'insondable silence de la stupéfaction. D'aucuns rient nerveusement, d'autres coulent un regard vers Colonel Tabert, notre directrice (et tata d'Augustin)...

Il faut l'avouer, on est tous sur le cul! Soufflés! Époustouflés! Et plus encore, lorsqu'ils s'écartent l'un de l'autre, et que, après un arrêt infime, ils poursuivent, le plus tranquillement du monde, le dialogue de la pièce!

Mais leurs mains tremblent, je le vois, je les vois! Et c'est ce qui me tord le cœur, si fort, si violemment, que j'étouffe, que je me lève, je cours me réfugier je ne sais où, au réfectoire je crois, et je sanglote des siècles, je sanglote d'amour et de détresse.

Ni Augustin ni Laurie n'ont été renvoyés. Le baiser appartenait à Paola et Giandolio, comment prouver qu'ils en avaient fait le leur ?

Ça m'épate qu'on soit amies, avec Laurie. Peut-être que sans son panache, son sens du défi, je n'aurais jamais eu le cran de quitter l'internat à l'aube, quand toutes dormaient encore, juste pour retrouver plus vite celui que j'aime.

Après un débarbouillage et un habillage éclairs dans les toilettes de l'étage, j'ai quitté le dortoir sur les orteils.

Une chaussure dans chacune des poches de mon manteau, mon sac dans une main, dans l'autre mon cadeau d'anniversaire pour Papigrand, et un bouquin d'Ed McBain coincé sous le biceps, j'ai mis dix bonnes minutes à descendre les sept marches en bois qui miaulent du bout du couloir ; après quoi j'ai poussé la fenêtre dont j'avais débloqué la crémone la veille, avant l'extinction des lumières, et je me suis retrouvée dans le parc.

Il faisait assez sombre et froid, et tant mieux, j'avais moins de chances de rencontrer quelqu'un.

Je me suis rechaussée presto, et j'ai couru à travers la pelouse, sous les arbres, en direction des grilles.

J'étais à peine en haut de l'allée, à quelques mètres de la grille, quand j'ai entendu un bourdonnement que je connaissais, le grand portail s'ouvrait ! Une voiture allait sortir ou entrer !

Je me suis jetée derrière la haie de cornouillers, si vite que je me suis retrouvée par terre, sans plus bouger, pendant que le véhicule approchait.

J'ai reconnu le break berlingot de Marie-Reine Panchèvre l'économe, repérable à ses empilements de cageots de fruits et légumes à l'arrière. La voiture est passée sans me voir.

Vite ! Il me fallait courir et franchir la grille avant qu'elle se rabatte. Le bourdonnement de fermeture s'éleva…

… et j'avais tous mes paquets à ramasser ! La voiture était suffisamment loin maintenant… je me suis lancée à toute vitesse, le sac me sciait l'épaule, le cadeau de Papigrand me battait la cuisse et le flanc, mon écharpe flottait moitié à mon cou, moitié sur les bras. Vvrrr, continuait la grille, et moi je me trouvais au milieu, entre le portique et le battant qui se refermait, et juste à cet instant-là j'ai aperçu le bus qui surgissait du virage, le bus que je ne devais rater sous aucun prétexte, sinon je ratais le train, donc mon arrivée à Paris, donc ma correspondance et mon second train... Pfffff.

Mon écharpe s'est emberlificotée dans la serrure de la grille... J'ai tiré, secoué, j'ai failli me mettre à hurler !

Le chauffeur du bus a ralenti et m'a fait un signe amical par la vitre :

— Doucement, jeune fille...

J'ai torturé l'écharpe, et j'ai pensé à cette danseuse morte étranglée par son long foulard pris dans les roues de sa décapotable. Je n'ai même pas eu peur, je me sentais enragée... Enfin, dans un craaac pathétique, l'écharpe s'est déchirée, la moitié est restée dans la serrure. J'ai piqué un galop.

Une fois dans le bus, j'ai eu droit au sourire indulgent du chauffeur, aux regards endormis des trois voyageurs qui l'occupaient.

— En voilà une jeune fille pressée ! s'écria le chauffeur en prenant ma monnaie. On va retrouver son amoureux ?

J'ai rougi, je me suis mordillé la lèvre du haut, j'ai reniflé, et je n'ai rien répliqué bien sûr.

Son amoureux. Merde, ça se voyait tant que ça ?

HERMÈS

– Ah, Hermès ! Un courageux, enfin ! s'est exclamée Mamigrand lorsque je suis descendu pour le petit déjeuner. Tu es le premier.

Elle aidait Clara à préparer le goûter d'anniversaire de Papigrand. Toutes deux avaient de la farine jusqu'aux coudes. Clara épluchait pommes, noisettes, amandes qu'elle jetait dans une bassine en cuivre. La cuisine avait l'odeur verte et râpeuse des noix mouillées.

Mamigrand ne m'embrassa pas. Trop occupée avec sa pâte et sa farine. Et puis elle est du genre qui n'embrasse pas, sauf à des moments choisis par elle.

– Tartelettes aux mendiants ! m'annonça-t-elle. Et tarte à la citrouille.

Comme si je ne le savais pas ! C'est tartes aux mendiants, à la citrouille et au potiron à chaque anniversaire de Papigrand. Une pyramide de cubes orangés attendait l'immolation sur le plan de travail et la poubelle débordait de graines plates.

Personne n'aime spécialement la pâtisserie de cucurbitacée, sauf Papigrand et peut-être oncle Gil. Mais « C'est de saison » arguë Mamigrand à la moindre réserve.

— Les jumelles sont réveillées?

J'ai fait non, en attrapant la casserole de lait chaud et le cacao soluble.

— J'espère qu'elles n'ont pas oublié que Fredericka vient tout à l'heure pour leur leçon de musique.

— Si une armée de sumos tombe sur la maison, dis-je, les jumelles remueront peut-être un doigt de pied... Mais c'est pas un cours de violoncelle qui va leur agiter le bocal.

— Que signifie ce langage? me dit Mamigrand d'un ton sec. Je suppose que ni ta mère ni ton père ne parlent ainsi?

J'ai rougi. «S'agiter le bocal» est une des expressions favorites de maman. (Avec, quand elle est énervée, «J'ai les ovaires dans le chignon.» Mais celle-là, je ne peux logiquement pas l'utiliser.)

— Clara? continua Mamigrand. Dès aujourd'hui nous allons décréter le petit déjeuner à la même heure pour tous, voulez-vous? Ou on risque de voir tout ce monde-là défiler jusqu'à midi. Que pensez-vous de huit heures?

— C'est trop tôt! me récriai-je.

Chaque année, pareil. Mêmes décrets, mêmes combats, mêmes résultats. Mamigrand est tuante.

— Et pourquoi pas ? Tu es bien tombé du lit, toi, ce matin !

Elle se mit à chantonner pour elle-même « *By a waterfall, I'm calling you-ou-ou-ou...* »

Plus le temps passe, plus ma grand-mère prend des allures de théière anglaise. Sa peau blanche, discrètement rosée aux pommettes. Ses cheveux crème qui moussent en chignon sur ses oreilles fines. Et l'impression qu'elle est catégoriquement incassable.

Je me suis servi en cacao, me suis taillé quatre tartines d'une épaisseur de millefeuille, avant de lui expliquer :

— C'est la faute aux chasseurs. Ils ont tiré des coups de feu, il ne faisait pas encore jour. Du côté des Frissons, je crois. C'est ça qui m'a réveillé.

Je me suis installé sur le coin de table où Clara avait rassemblé beurre, crème, confitures de mirabelles et de coings, gelées de pomme et de cassis.

— C'est ce renard. Il les fait tourner en bourrique. L'animal est un malin.

— C'te démon ! grommela Clara. Mais ils le prendront ! Toutes ces bêtes qu'il nous a égorgées cet été... Grillées, tes tartines, mon grand ?

Je connais notre Clara depuis toujours, Clara et son carré de nylon sur la tête, Clara et son tablier en toile cirée vichy. Une année vichy bleu fumée, une année vichy vert sapin. Là, c'est sapin.

— N'empêche, marmonnai-je, c'est trop tôt, huit heures…

(Ma mère, j'en suis sûr, descendrait à dix par principe.)

— Mettons huit heures et demie, là, ça te va ?

— Y aura qu'à sonner Caroline, fit notre Clara.

Et voilà comment, chaque année, Mamigrand répète, comme s'il était tout neuf, un règlement que nous connaissons tous par cœur et par avance.

Demain matin, Caroline (le nom de notre cloche à la Collinière) sonnera le petit déj' à huit heures et demie, comme elle sonne à midi et demie pour le déjeuner, à sept heures et demi pour le dîner.

— Allume le poste, Hermès, veux-tu ? C'est l'heure des actualités.

Étrange, quand je me trouve dans cette maison, l'impression d'un passé toujours présent. Mamigrand et son « poste », et ses « actualités », ses « réclames ». Et ses « veux-tu ? » quand elle ordonne.

Elle se remit à fredonner. J'allumai le poste.

— Rose t'a-t-elle dit quand elle arrivait ? interrogea-t-elle soudain.

Aïe.

– Je t'ai posé une question, susurra-t-elle au bout d'un silence mortel, en dégageant un copeau de pâte de dessous son alliance. Quand ta mère arrive-t-elle ?

J'ai toussé.

Rose, ma mère, a horreur de tout ce qui ressemble à un horaire, un calendrier, un emploi du temps. Elle ne porte jamais de montre. Pas besoin d'être Freud pour comprendre que Mamigrand y est pour quelque chose.

Maman est de ces personnes qui vous demandent l'heure à tout bout de champ, ou la date, ou le jour. Comme ceux qui tapent des cigarettes parce qu'ils redoutent de se mettre à fumer.

Elle m'avait vaguement averti au téléphone : «Je vous rejoindrai dans l'après-midi.»

– Dans l'après-midi, dis-je à Mamigrand.

Elle émit un clappement de lèvres (un coin seulement) pour marquer son impatience.

– C'est bien d'elle, ça ! Toujours aussi précise. Eh bien tant pis, il n'y aura personne pour aller la chercher à la gare.

– L'après-midi, c'est Marignan, fit Clara énigmatique.

– Le train de 15 h 15, m'expliqua Mamigrand avec un sourire bref. Dommage pour ta mère, Mari-

29

gnan est un omnibus. Pourquoi ne prend–elle pas le direct qui part avant?

J'ai soupçonné maman, oh une seconde, d'avoir préféré l'omnibus pour arriver le plus tard possible à la Collinière. Puis non. Elle prenait celui-là parce qu'il lui était impossible de faire autrement. Sinon elle aurait forcément choisi le direct afin de me retrouver plus tôt, moi, son fils unique et chéri. On ne s'était pas vus depuis un mois.

J'étais là depuis trois jours parce que papa venait de partir pour Ischia dans la famille de sa nouvelle femme Antonella. Maman, elle, arrivait de Londres où elle avait dansé un rôle dans *Me and the ghost upstairs*, une comédie musicale.

— Bonjour, mon chat! s'écria tout à coup notre Clara.

Colin-Six ans était debout sur le seuil.

— Il a fait un bon dodo?

Il se frotta l'œil avec un poing, se gratta le creux des fesses avec l'autre. Il portait son pyjama où des oursons rouges se lançaient des Frisbee en buvant du miel.

— Je monte l'habiller, dit Clara.

— Laissez, Clara, dit Mamigrand. Il est tôt et j'ai encore besoin de vous ici.

Mamigrand se pencha vers Colin-Six ans, sans davantage l'embrasser que moi.

— Tu n'as pas fait de cauchemar? lui demanda-t-elle.

Il est somnambule. Pas plus tard qu'avant-hier, sa sœur Violette l'a retrouvé couché en rond sur le tapis de la chambre.

Cet été, après que sa mère avait eu tous ses problèmes, il arpentait en roupillant le couloir du premier étage, vingt allers, vingt retours, avant de se recoucher.

— Bien dormi?

Il secoua la tête en un geste interlope qui signifiait oui, non, pourquoi pas, peut-être. Tant qu'il n'a pas ingurgité ses céréales, mon petit cousin est muet. Pour mieux nous saouler le reste de la journée.

— Choca Pic ou Choco Pak, chouchou?

L'amour sans limites de notre Clara pour le dernier rejeton de la généalogie Coudrier la pousse parfois à ces poétiques allitérations

— Ils t'ont réveillé aussi, les chasseurs?

Elle ouvrit un paquet de céréales chocolat, Pik Pok ou Choca Plouk, peu importe.

— Je veux pas du lait, dit Colin-Six ans. J'aime pas le lait.

Docilement, Clara lui remplit un bol à sec.

– J'aime pas sec, dit-il alors. Je veux mouillé.

– Avec de l'eau alors ?

– Non. J'aime pas non plus.

– Alors quoi ?

– Avec du lait.

– …

– Pas pour boire. Pour mouiller. J'aime pas tout sec.

Un bruit de pas dehors vint interrompre ce captivant échange gastronomique. Le heurtoir de bronze résonna à la porte du hall.

Clara alla ouvrir la fenêtre, s'y pencha et on la vit faire signe aux arrivants de nous rejoindre directement par la cuisine.

Je crois qu'avant même de le voir, j'avais deviné que c'était Blaise Rivière. Sitôt qu'il est question de ma mère, abracadabra il est là. Ou pas loin. Même lorsqu'elle venait à la Collinière avec papa et moi, qu'on n'était pas encore une famille divorcée, Blaise Rivière dévorait maman avec des yeux de mérou frit, en silence. J'avais sept ans, je m'en apercevais déjà. Et je sais, tout le monde sait, que c'est comme ça depuis qu'ils sont petits.

Blaise n'entra pas le premier. Il laissa le passage à

celui qui l'accompagnait, un fermier du coin comme lui, et qui se fait appeler Jim.

— Laissez votre chien dehors ! s'écria Mamigrand. Les chats sont là.

Blaise a sifflé et Korvo, son chien, s'est arrêté sous l'auvent. Je ne l'ai pas vu, mais on l'a entendu qui se couchait sur les gravillons de l'allée.

Jim et Blaise ont refermé la cuisine et sont restés immobiles devant la porte, dans leurs bottes en caoutchouc vert qui leur montaient aux genoux, leurs gilets kaki à treize poches, leurs fusils debout, leurs sacs, et leurs cartouchières en peau. Tous deux avaient l'air un peu intimidé. Blaise a enlevé son chapeau, un feutre avec du cuir.

Mamigrand a éteint la radio en fredonnant lèvres closes, mmmmmmh… Et moi, mécaniquement, je l'ai accompagnée dans ma tête « *I'm calling you-ou-ou-ou…* »

— Ça sent bon chez vous, madame Coudrier, a dit Jim. Du potiron ?

— On fait une petite fête à cinq heures. Pour l'anniversaire de mon mari. Il y aura tous les enfants… Enfin presque tous. Puisque…

Mamigrand a battu des paupières. Elle ne pleure pas, mais elle bat des paupières chaque fois qu'il est question de l'oncle Dimitri qui s'est noyé en avril dernier. Elle bat des paupières et une mimique étrange étire les muscles de son cou.

Blaise a gardé le silence. Jim a toussé.

— Un café ? dit Clara. Il est tout frais.

— Tout frais ou tout chaud ? dit Jim avec un sourire et un clignement de paupières.

Ils s'assirent tous les deux sur le banc en paille que Mamigrand leur désignait.

— L'auriez pas vu, des fois ? demanda Jim.

— Qui ça ?

Mamigrand étalait sa pâte. Clara secouait la bassine à confiture sur le feu.

— Ce salopard, dit Jim. Cette saleté.

— Le renard, précisa Blaise.

Premier mot qu'il disait. Il parlait sourdement, comme à travers des mouchoirs en coton. Il se mit à tourner le bord de son chapeau entre le pouce et l'index. Il avait de grandes mains avec de grands doigts, des poils châtains dessus.

— Il est blessé, ajouta-t-il. Jim l'a touché hier.

— Si je le vois, bonté du ciel, je fais le signe de croix et je m'enfuis loin de cette créature du diable !

— Du diable ? marmonna Colin-Six ans dans son bol.

À l'air effrayé de Clara, Blaise répondit d'un sourire. Il avait les dents rectangulaires et blanches qui contrastaient avec son menton où la barbe, pourtant rasée à la lame, mettait comme une ombre au crayon noir.

— Probable qu'il s'enfuira avant toi, Clara, dit-il. Il est blessé. Et puis le diable n'a rien à y voir, ajouta-t-il tout bas de sa curieuse voix.

— En tout cas, reprit Jim, cette bête se fout de not'gueule ; avec votre respect madame Coudrier. Depuis juillet, il nous nargue. Il a bouffé notre provision de pommes dans le cellier de ma mère. Il a volé des jambons chez Hubert, et il a fait une descente chez les lapins de…

— C'est quoi que t'as, là ? interrompit Colin-Six ans.

Il avait extirpé son nez du bol de céréales-mouillées-mais-pas-trop, pour scruter le pantalon de Blaise. Une traînée brune courait le long de la couture. Blaise sortit de sa poche un chiffon, pour la frotter.

— C'est quoi ? insista Colin-Six ans.

Blaise Rivière le regarda, esquissa une mimique qu'il voulut amicale, qui ne fut qu'embarrassée.

— Du sang, dit-il enfin.

— Le sang du renard ? questionna Colin-Six ans fasciné.

— Non.

Blaise hésita.

— D'une grive, précisa-t-il enfin.

— Une grive que tu as tuée ?

— Oui.

— Une grive que tu as tuée ce matin ?

— Oui.

— Elle est où ? Dans ton sac ?

— Oui.

— Je peux la voir ?

— Non ! intervint Mamigrand. Finis ton bol et monte t'habiller, veux-tu ?

Elle était un peu pâle, un peu essoufflée. Je crois que la perdrix lui faisait penser à la mort, et la mort à l'oncle Dimitri mort. Clara piocha une cuillerée de céréales et l'enfourna d'autorité dans la bouche de Colin-Six ans.

— Êtes-vous allés chez les Tashleen ? continua Mamigrand. Ils sont venus passer l'automne dans leur maison. Ils ont allumé quelques-unes de ces citrouilles américaines sur leur perron, pour leur Toussaint à eux...

— Halloween, dis-je.

— Peut-être auront-elles attiré votre goupil ? acheva Mamigrand. Il arrive qu'ils en mangent.

— C'était prévu qu'on aille chez eux, dit Jim. Merci pour le café, madame Coudrier.

Il se leva, nous salua et sortit. Blaise Rivière se redressa à son tour mais avec lenteur, l'air de se déplier, et d'avoir quelque chose à faire, à dire. Sa stature emplit la cuisine qui prit des allures de tiroir.

Il se tourna vers moi et chercha mon regard. Jusqu'ici, il ne m'avait guère accordé d'attention. Là, il planta ses yeux dans les miens. Son regard était direct, arrogant. Et assez triste.

— Donne le bonjour à Rose, prononça-t-il de son étrange voix assourdie.

C'est tout. Aussitôt dit, il est sorti. On l'a entendu siffler Korvo, et le bruit de leurs pas, avec ceux de Jim, a décru dans l'allée.

Mamigrand eut un petit soupir.

— Pauvre garçon.

Son visage n'exprimait ni pitié, ni compassion. Elle fixait sa pâte brisée tout en l'aplatissant à deux poings sur le marbre.

— J'étais moyennement d'accord quand Rose nous a annoncé qu'elle allait épouser ton père… Le temps m'a donné raison, on voit ce que ça a donné !

Ou plutôt, que ça n'a rien donné. Mais Blaise! Comment a-t-il pu seulement espérer! Clara, vous versez trop de sucre.

J'ai attrapé Olismok le chaton et j'ai pressé son doux flanc blanc sur ma joue. Pour me donner une attitude. Pour éviter de croiser le regard de Mamigrand.

— En plus, reprit Mamigrand, il porte des bretelles écossaises!

Sur ce détail éliminatoire, elle se tut.

Une phrase de plus, et elle m'aurait rendu Blaise Rivière sympathique.

Une main s'est doucement posée sur mon bras.

— Tu goûtes ça, mon grand?

Notre Clara me tendait la spatule en bois qui avait touillé le sirop de noisettes. Tout en ouvrant la bouche, je l'ai dévisagée. Sa figure était parfaitement immuable et placide au-dessus du tablier en vichy sapin. Le sirop de noisettes était sa façon de me consoler.

— Et Madeleine? reprenait, impatiente, la voix de Mamigrand, derrière. Est-ce qu'elle a prévenu de son heure d'arrivée, elle, au moins?

— Aussi cet après-midi, dis-je. À cause des correspondances. En zone B les vacances commencent à midi, l'internat ne ferme pas avant. Ce sirop est un délice, Clara.

Clara a repris sa spatule et m'a tapoté la joue. Depuis toujours (mes toujours commencent à ma naissance, il y a presque quatorze ans) notre Clara m'a tapoté la joue. Elle est bien la seule personne au monde à avoir ce droit. Et la seule à avoir vu que j'avais rougi comme un coup de soleil à la seule mention de ma cousine Madeleine.

Presque la seule… Parce que, du fond de son troisième bol de Choco Beurk, Colin-Six ans a chantonné illico :

– Il est amoureux-heu. Il est am…

Je l'ai étranglé de trois géantes cuillerées enchaînées.

Heureusement, Mamigrand était passée dans la pièce à côté. « *By a waterfall, I'm calling you-ou-ou-ou…* »

MADELEINE

Quand le bus m'a déposée à la gare, je me fredonnais un petit air de fugue *in petto*. J'étais en fugue, bel et bien, d'accord, mais en partie seulement.

C'était aujourd'hui les vacances, zone B, à midi pile, mettons que je m'étais décrétée zone Bis, un tantinet à l'avance… ET-A-LORS? À l'internat, on n'y verrait que du feu, on s'était arrangées avec Laurie.

J'étais si excitée, si ravie que j'ai failli oublier de composter mon billet!

Dans le train (archicomble, premier de la journée, le suivant étant à treize heures et des yaourts, comprenez mon urgence!), impossible de lire, impossible impossible! Les *Quatre Petits Monstres* d'Ed McBain sont restés sur mes genoux. J'avais le cœur, comment dire, à la fois tout ratatiné et tout dilaté.

«Exaltée! dit de moi Mamigrand. Madeleine est une exaltée.» Son adjectif favori quand je suis le sujet de sa conversation (en somme, guère souvent).

En quatre-vingts minutes de voyage, le paysage passa par d'étourdissantes variations de climats, pluie à coups de fouet, éclaircies bleu soleil, puis ça crachinait breton pour redevenir gros grain. Parfois l'éclair lumineux d'un champ de colza oublié sous une couette de nuages gris. Parfois le couinement incongru (toujours) d'un téléphone mobile.

Paris nous accueillit en robe Peau d'Âne, couleur sale temps, mais sans vent, sans froid, et surtout sans pluie, ce qui m'enchantait… Qui aimerait la pluie quand une séance chez le coiffeur est inscrite dans son futur immédiat ?

Parce que si je me suis levée à l'aube et éclipsée en traîtresse, sans embrasser les copines, au prix d'un mensonge que Laurie était chargée de débiter au Colonel Tabert, c'est dans le but unique de me donner le temps, avant la Collinière, de changer radicalement de tête.

Je ne veux pas retourner là-bas avec ma tronche de l'an dernier, je ne peux plus être cette mignonne « Madeleine à manger » (ça fait rire tout le monde sauf moi, une trouvaille de Papigrand un soir d'humour, ou de gastrite, mais zut, j'ai seize ans, enfin quinze et un mois et demi), exit « petite Madeleine à manger », je ne veux plus qu'on se paie ma tête, surtout pas *devant lui* que j'aime, que j'aime, que j'aime !

C'est pourquoi j'ai décidé de la changer (ma tête).

Depuis quinze jours je m'interdisais de m'éplucher les peaux de doigts et d'ongles (des gants nuit et jour), de me bouffer celles des lèvres (badigeonnées d'arnica caca), de m'arracher, machinale, les sourcils... Bref. Me suis épiée des jours et des jours pour cesser mes micro-mutilations qui font le désespoir de mes profs, de ma grand-mère, et le mien, parce que ça me donne des mains, une bouche et une face de malade, tragiques, fiévreuses, si vilaines.

J'ai repéré un salon de coiffure face à la gare, entre crêperie et sex-shop. En changeant de trottoir, un mannequin en plastique noir m'a fait un clin d'œil dans une vitrine. Je sais, j'exagère. Le clin d'œil ne venait pas de lui mais du *twin-set* qu'il portait et qui était proprement sublimissime, d'une couleur ça-m'irait-bien et une coupe il-me-le-faut-tout-de-suite…

Je suis entrée et je suis ressortie. Avec.

Le train pour Saint-Expyr partait dans cinquante minutes. Devant le coiffeur j'ai hésité…

Laurie m'avait avertie : « Hasardeux, voire dangereux d'aller chez le coiffeur avant de voir quelqu'un dont on est amoureux ! Avant n'importe quel rendez-vous d'ailleurs ! Les coiffeurs, c'est connu, ils vous suicident six fois sur six et demie. »

Je suis entrée. Une jeune femme blonde en blouse blanche a quitté son ordinateur et s'est avancée.

– Bonjour.

Le sourire était somptueux, merveilleusement efficace et rassurant. Il vous garantissait qu'ici, jamais on ne suicidait une cliente.

— Euh. Bonjour. Je voudrais. Euh. Un brushing, un shampooing, et une coupe.

Au moins j'avais tout dit. Même si pas dans l'ordre.

— Un soin ? Un balayage ? Des mèches ?

— Euh. J'ai un train.

Quarante-neuf minutes pour me faire suicider.

— Un reflet, alors ? insistait-elle. Un halo. Pour nous réveiller tout ça.

Je gardais mes cheveux relevés entortillés dans leur grosse barrette. Lorsque je les ai libérés, que la dame les a vu dévaler jusqu'à mes poches, elle a coulé un regard furtif à sa collègue, laquelle épluchait au rasoir la salade rousse qui ornait un crâne de cliente.

— Vous ne... les avez pas coupés depuis long-temps, remarqua-t-elle platement.

— Première fois de ma vie.

Silence.

— Vous les voulez comment ?

— Courts.

Re-coup d'œil à la collègue. L'effroi probable-ment que je lui fasse une crise de regrets, ou de foie, ou de nerfs, après coupe.

— Vous êtes sûre de vous ?

Ça me mettait à l'aise de la constater si peu à l'aise.

— Sûre.

— Et pour le reflet?

— Une autre fois. Aujourd'hui, juste les ciseaux.

Elle m'a camisolée d'éponge et de nylon, m'a basculée sur l'appuie-cou et m'a shampooinée tenace.

Enfin, derrière mon épaule, dans le miroir, tel un ange, peut-être exterminateur, peut-être gardien, elle a murmuré: «Jusqu'où?» et moi je me sentais au bord du précipice, le vertige, l'envie dévoreuse d'éclater de rire. «On coupe!» j'ai dit. Presque un cri.

— Ici? elle a fait, l'index aligné sur ma clavicule gauche.

J'ai haussé sa main à mi-lobe de l'oreille.

— Tant que ça?! À la fois horrifiée et alléchée par la perspective. Tout ça?

Tant que ça, tout ça. J'ai pensé à Jo, la fille du Dr March qui vendit sa chevelure vingt-cinq dollars pour soigner son père blessé à la guerre de Sécession. À Fantine qui s'arracha les dents pour acheter du pain à Cosette…

Ce n'était pas la même chose, bien entendu. Moi, en échange de mes soixante-six centimètres de

44

tortillon filasse, moi j'exigeais… l'amour ! Tout simplement l'amour !

Quand le Grand Cric des ciseaux m'a croqué cet
écheveau qui ne m'appartenait déjà plus, j'ai regardé
les mèches qui faisaient des culbutes sur la cape en
nylon, sur le carrelage, et s'ajoutaient les unes aux
autres, comme les jours, les semaines, les mois, les
années, que j'avais vécus sans avouer jamais à celui
que j'aime que je l'aimais.

MADELEINE

– Gel ? Crème ? Laque ?

J'ai bondi dehors en faisant non non non, avec
bagages, livres et paquets. Plus que cinq minutes !

J'ai reçu une fraîcheur brutale sur mes oreilles et
dans le cou, ma tête sans cheveux était devenue
vapeur, éther, éolienne, légère comme mon cou,
tout emplie de courants d'air ! Que je précise : je
galopais ventre à terre sur le parvis en pente, enfin
autant que je pouvais, vers la gare, avec mon barda
et le tintouin qui pesaient. Sauf mon porte-monnaie
qui était devenu *light* lui.

Train 1701. Voie 11. Voiture 22. Moi, le barda et le tintouin, on a intercepté la voiture de queue à l'instant où ça démarrait. J'ai remonté cinq wagons avant de trouver le bon, avec ma place où j'ai plongé, et soupiré, avec délice, les yeux fermés.

— C'est pris ?

Une fille debout pointait le doigt vers le siège à côté de moi.

— Je ne crois pas, dis-je.

Elle a fait glisser son sac de son épaule et a cherché un coin libre sur le porte-bagages.

Elle avait le genre cosmétique. Pub, si vous préférez. La taille 2 en 1, la fesse 501, le sourcil épilé pile. Et des yeux verts, yeux de sorcière.

Mais je suis peste, elle était réellement jolie.

Aussi jolie que son rouge à lèvres. Et son sourire parfaitement poli et gentil. Elle dit :

— J'étais à la place bonne, mais pas dans le wagon bon. J'ai été virée par un monsieur.

Apparemment étonnée qu'un monsieur, masculin, sexe mâle, ait osé pareille facétie.

— Il était vieux.

Ah. Voilà. Alibi susurré dans un accent follement gracieux.

En un quart d'heure j'appris qu'elle était néo-zélandaise, qu'elle allait à Saint-Expyr elle aussi, qu'elle s'appelait Rochelle à cause d'ancêtres huguenots, qu'elle était mannequin (suis-je si peste, après tout ?), qu'elle voyageait énormément mais n'avait encore jamais vu La Rochelle.

— Mais ce que j'aimerais *really, really*, dit-elle, grave, c'est écrire des livres pour les enfants.

Comme elle aurait dit qu'elle voulait nourrir des lapins à l'alfalfa bio, ou offrir des boules de Noël aux Nord-Coréens affamés (mais pour elle, la Corée devait être une française chaude boisson).

Je suis peste. La pauvre semblait fière de son idée.

— Ça se fait beaucoup en ce moment, dis-je.

— Oui ?

— Un tas de vedettes annoncent qu'elles vont écrire pour les enfants. Ou bien c'est leurs épouses, ou leur vieil oncle. C'est le métier idéal des séries télé. Et des personnages bien dans les films bien.

J'ai conclu, amicale :

— C'est *very* chic !

Ce qui la combla. Après quoi, elle a sorti une poignée de magazines de mode et m'a foutu la paix quatre minutes. Pas davantage, car au moment où je dégainais Ed McBain, son portable a claironné l'ouverture de *Guillaume Tell*, et elle a parlé un sacré bout de temps, puis elle a appelé à son tour un numéro, et un deuxième, et un troisième… Elle causait sabir top model, anglo-franco-italo, avec par-ci par-là un descriptif désolant du paysage pourtant splendide qui défilait par notre vitre commune.

J'ai empoigné mes cliques, mes claques, réprimé l'envie féroce de lui en envoyer une, de claque, et j'ai changé de place.

Eh bien, on l'entendait toujours.

— Attends-moi sur le quai, disait-elle, je risque me paumer dans ton bled. *Bye bye, my love…*

Suivait un chapelet de sons, comme des bulles qui pètent, savon ou chewing-gum, des baisers je présume puisque jaillissant de ses lèvres, et censés manifester son *love* et son impatience. Et elle a appelé un énième numéro.

Re-cliques re-claques, j'ai cette fois changé définitivement de voiture pour me consacrer à mes policiers du 87e district.

Le frais sur mes oreilles m'a subitement rappelé que j'avais moins de cheveux. Moins de cheveux ! J'ai foncé aux toilettes faire ce que je n'avais pas osé faire au salon de coiffure : me juger.

Mais une fois là, dans les yeux, impossible de me dire… À moi, ce portrait sans poil ? Ce crâne torve, fourchu, laidasse ? Pas mirifique mirifique. Mes regards en profitaient pour se la jouer dramatique, afficher des airs noirs, un chouïa tourmentés.

Ce n'était pas déplaisant pourtant. Tout n'était pas à jeter. Ma nouvelle tournure avait du moins le mérite de m'ôter ma transparence, ma pitoyable invisibilité.

LA MAISON DANS L'OMBRE

— Ça sent bon chez vous, dit Renée Folenfant.

— C'est l'anniversaire de Monsieur, répondit Clara en ouvrant pudiquement la porte à l'infirmière, comme si l'odeur de citrouille était un secret à conserver. On cuit les gâteaux pour tantôt.

— Mme Coudrier n'est pas avec vous ?

— Elle est montée aider Monsieur.

Si l'infirmière avait pris sa mallette c'était par habitude. À la Collinière elle n'avait, en fait, qu'une injection à donner. Matin et soir.

— J'ai garé ma voiture sur la pente, vous

m'appellerez si elle gêne ? dit-elle. Votre colline est raide, et je n'ai plus mes jarrets de vingt ans.

Renée Folenfant eut l'impression que Clara s'inclinait. Ce fut à peine visible... Une voussure, un arrondi de l'échine imprimé par des décennies de servitude. Clara ne s'inclinait pas vraiment, elle en avait l'air ; tout comme elle paraissait dire merci ou pardon, même quand elle ne disait rien. La soumission et la gratitude du humble s'étaient à jamais fossilisées en elle.

– Votre neveu va bien ? s'enquit aimablement l'infirmière en posant sa mallette.

Clara parut s'incliner encore, comme embarrassée qu'on s'intéresse à la santé d'un membre de sa famille.

– Ça va, répondit-elle très vite. Je vous apporte les médicaments de Mlle Édith.

Elle essuya du sucre glace qui était resté collé à son coude. Le geste fut nerveux. Mais Renée Folenfant savait que sa personne pouvait impressionner les impressionnables. Elle était haute, rectangulaire, pointue, géométrique en un mot. Son cœur seul était dodu et bienveillant, mais il ne se voyait pas. Renée Folenfant savait aussi qu'on est avec les infirmières et les docteurs ce que l'on est avec les policiers : inquiets sans raison.

— Notre malade s'est tenue tranquille ? interrogea-t-elle quand Clara revint de la cuisine avec les boîtes d'ampoules qu'on stockait au frais dans le cellier.

— Mais oui. Mlle Édith n'a pas eu de crise depuis longtemps. Les piqûres lui font du bien.

Du bien ? Un mince sourire flotta sur les lèvres de l'infirmière. Quand un malade va mieux, c'est qu'il ne dérange plus.

Elle glissa les ampoules dans sa mallette et alla vers la porte-fenêtre qui donnait sur l'arrière de la demeure.

— On pourrait peut-être la faire revenir ici, dans la maison, dit-elle doucement. La pauvre y serait davantage à sa place que dans ce pavillon isolé au fond du parc.

— Oh non ! dit Clara. La dernière grande crise que Mlle Édith nous a faite, c'est quand on a voulu la ramener ici, dans son ancienne chambre.

— Eh bien, proposez-lui une autre chambre… J'en toucherai un mot au Dr Regain. Ce n'est pas une solution de la laisser toute seule là-bas comme si elle avait la peste.

— C'est elle qui veut, se récria Clara. Mlle Édith elle-même l'a demandé !

Elle baissa la voix soudain. Colin-Six ans venait

de surgir du hall, courant derrière son diabolo. Il se faufila prestement entre elles deux, imitant l'ambulance, dududutt, sans remarquer leur air gêné et leur silence subit.

— C'te pauvre marmouset, soupira Clara quand il eut disparu dans le jardin. C'te tristesse !

Après un salut, Renée Folenfant sortit. Les doigts noués sur le devant de son tablier, Clara la suivit des yeux.

Le pavillon d'Édith Coudrier se situait à une centaine de mètres en contrebas de l'allée, caché par des érables et de hauts sapins bleus. Emportée par la pente et le poids de sa mallette, l'infirmière foulait les feuilles mortes et sèches, soulevant de petits tourbillons rouges ou jaunes qui craquaient.

Elle retrouva Colin-Six ans devant la petite maison. Très concentré, il exécutait une figure de diabolo.

— Regarde, dit-il. Je fais le carrousel pirouette.

— Bravo.

— Et là, c'est la poursuite infernale. (Après un silence.) Maman est réveillée.

Un instant, l'infirmière le dévisagea.

— Tu l'as vue ?

— Non. Mamigrand ne veut pas que j'entre ici

tout seul. Elle a tiré les rideaux. Maman, je veux dire. Regarde : cette fois je fais le satellite yoyo !

— Magnifique.

Elle attendit que le petit garçon ait achevé ses figures de jeu.

— Tu veux entrer lui donner un bisou ?

Il hésita.

— Tu ne seras pas seul, je viens avec toi.

Il posa son jeu sur la balustrade et prit la main que lui tendait l'infirmière.

Ils entrèrent dans le pavillon.

L'intérieur sentait la cire, le benjoin, le menthol, et le papier peint trop chauffé. Il faisait sombre. La silhouette d'Édith Coudrier se déplaça contre le voilage clair d'une fenêtre. L'infirmière sentit les doigts de Colin-Six ans qui serraient brusquement les siens.

Elle nota immédiatement qu'Édith Coudrier se portait moins bien que la veille au soir, moment de la dernière piqûre. Ses traits étaient tirés, ses yeux tout enfoncés, ses lèvres sans couleur. Elle ne parut pas remarquer son fils, elle regardait le sol. Sa longue tresse était à moitié défaite sur son épaule.

— Bonjour ! s'écria l'infirmière d'une voix qui se voulait enjouée sans excès. Regardez qui est venu avec moi.

Édith garda les paupières baissées.

– Qu'il sorte, dit-elle tout bas. Je ne veux pas que mon fils me voie… oh, et puis, je m'en fous.

Elle remonta sa manche et tendit son bras dénudé.

– Allez-y. Votre piqûre. Et partez, vous aussi.

Renée Folenfant prit son temps pour ouvrir sa mallette et préparer les ampoules. Elle fit un clin d'œil amical à Colin-Six ans.

– Donne un bisou à ta maman et tu la laisses se reposer, d'accord?

La malade posa enfin les yeux sur son fils. Après un temps, elle fit quelques pas vers lui. Ses yeux brillants, sa peau toute pâle, le plancher qui grinçait sous sa démarche incertaine… Colin-Six ans ne put s'empêcher de faire un pas en arrière.

Sa mère s'immobilisa. Elle le regarda un long temps.

Elle plongea brusquement son visage au creux de ses bras et se mit à sangloter.

Renée Folenfant prit calmement l'enfant par les épaules et lui fit un sourire rassurant.

– Maman est très fatiguée. Tu reviendras l'embrasser demain, tu veux bien?

Il hocha la tête, sans oser lever les yeux vers cette

dame qui était sa maman, et qui s'était détournée pour laisser libre cours à ses larmes.

Renée Folenfant le raccompagna et lui ouvrit la porte. Elle prit le temps de ramasser le diabolo sur la balustrade et de le rendre au petit.

— Tu sais jouer ? demanda-t-il.

— Pas du tout. Tu m'apprendras ? Si tu as le temps bien sûr…

Il la regarda et elle s'en voulut d'être hypocrite comme… une grande personne sait l'être avec un enfant. Elle lui appuya sur le nez.

— Je vais faire le soleil entre les bras, annonça-t-il, et le matamore marionnette…

Elle le laissa aller et referma la porte.

Édith Coudrier s'était calmée. Assise droite dans le canapé brodé d'hibiscus jaunes, elle tenait ses mains jointes entre ses genoux. Sa tresse était maintenant totalement dénouée.

Elle tendit à nouveau son bras à l'infirmière. Sa peau était bleutée, toute piquée.

— Pardon, murmura-t-elle. Je suis désolée. Je me sens un peu nerveuse aujourd'hui.

Renée Folenfant posa la seringue pointe en haut, et s'assit à côté de la jeune femme.

— Pourquoi spécialement aujourd'hui ?

Un silence s'écoula. Puis :

— Je ne sais pas. Peut-être parce que c'est l'anniversaire de papa, dit Édith. Si on est le 31 octobre… On est bien le 31 octobre ?

— Oui.

— Je n'ai rien à lui offrir.

— Il sait bien que, pour vous, c'est compliqué, vous ne pouvez sortir qu'accompagnée et…

— Et on ne m'accompagne pas.

La malade leva un rapide regard. Elle commença à refaire lentement, en silence, sa tresse.

— Écoutez, dit l'infirmière. Je retourne tout à l'heure sur Dargelos, j'ai une dame à soigner là-bas. Si vous avez une idée de cadeau, je peux me rendre dans une boutique et vous…

— Merci. Non. Mais vous êtes gentille.

Édith prit un mouchoir roulé dans sa poche et s'essuya les joues.

— Je ne lui offrirai rien.

Presque aussitôt, un nouveau flot de larmes emplit ses paupières.

— J'ai peur, murmura-t-elle.

Renée la reçut dans ses bras.

— Allons, allons, allons…

— Quelqu'un est venu cette nuit… ici… dans

ma chambre. Je dormais, et tout à coup, quelque chose m'a réveillée... Du moins, je croyais que c'était quelque chose... J'ai ouvert les yeux, il faisait noir, et j'ai vu... Ce n'était pas quelque chose... mais quelqu'un... Une ombre... Il y avait une ombre au pied de mon lit et... Oh, mon Dieu ! C'était... horrible !

Édith éclata en sanglots déchirants qui auraient effrayé n'importe qui d'autre que Renée Folenfant.

Elle hoqueta :

— Sa respiration... à côté de moi... ça m'a réveillée ! Cette ombre qui... qui respirait !

— Allons, chut... Il n'y avait personne, c'était certainement un rêve.

L'infirmière se dégagea avec douceur et se leva pour reprendre la seringue. Édith retomba sur les coussins.

— Je ne rêvais pas ! Je ne rêvais pas ! martela-t-elle.

L'aiguille entra dans sa chair nue.

— Chhhh... fit la douce voix apaisante de l'infirmière.

— J'ai vu une ombre debout à côté de mon lit... Je l'ai entendue qui respirait...

La voix d'Édith mollit.

— Je ne rêvais pas... Je ne rêvais... Je ne...

COLIN-SIX ANS

Un, deux, trois, la bobine rouge bondit sur le diabolo, quatre, cinq, six, passa par-dessus une branche d'acacia, sept, huit, neuf... Colin-Six ans enjamba une racine de sycomore, avec prudence parce qu'il existait là, sous les feuilles mortes amassées par le râteau de Meyer le jardinier, une famille de Ghwilltt. Les verts, les gentils, ceux avec des chapeaux et des mitaines rouges. Il ne fallait pas les confondre avec ceux à la face violette et au bonnet pointu, les Kyytwwug, qui étaient des méchants, des vraiment méchants. C'est eux qui lui retenaient son diabolo en l'air et lui faisaient rater ses figures.

Colin-Six ans fit une grimace en direction du pied du platane, repaire des Kyytwwug tapis cachés sournois.

Il posa soudain son diabolo par terre, et porta un regard de conspirateur aux alentours. Il n'y avait personne.

Il courut sur la pente du parc, tout en bas, où il y avait le bûcher. C'était derrière des buissons, le long du mur en grosses pierres brunes qui clôturait la Collinière.

Devant les rangées de bûches, alignées en une

haute muraille comme les bouteilles dans la cave de Papigrand, Colin-Six ans vérifia une dernière fois autour de lui. Alors se sachant seul, il s'accroupit subitement et sortit de sa poche une tartine avec encore du beurre dessus, une pomme, et une poignée de miettes de Choco BN qui crépitaient, toutes dispersées dans sa poche ; et puis un petit sac plastique noué rempli de lait, ça il l'avait prélevé en cachette sur le petit déjeuner. Puis il sortit un foie de poulet cru roulé dans un Sopalin. Ça, il l'avait volé dans le frigo. Ça puait et ça collait. Le Sopalin était tout fondu contre le foie mouillé de sang. Colin-Six ans, un peu dégoûté, mais assez intéressé tout de même, essuya ses mains sur son pantalon. Ce qui lui rappela la grive de Blaise.

— Tiens, dit-il. Je t'ai apporté ça.

Nouveau coup d'œil autour. Il s'approcha des bûches en se dandinant comme une grenouille parce qu'il était accroupi.

— Tiens, répéta-t-il, tout bas, très très bas, c'est pour toi.

Il étala sur le sol, le foie de poulet dans le Sopalin, la pomme, les miettes de Choco BN. Puis il attendit. Il pria pour qu'aucun Kyytwwug ne le voie.

À l'arrière, sous les bûches, il y eut un petit bruit. Colin se pencha.

— J'ai vu les chasseurs ce matin, murmura-t-il. Ils te cherchent. Mais personne ne va leur dire où t'es. Tu vas rester là et pas bouger jusqu'à ce que tu guérisses…

Un œil brillant perça la pénombre des bûches.

— Tu as mal ? Pourquoi tu veux pas me montrer où c'est que t'es blessé ?

Comme un éclair noir, un museau pointu de renard parut, puis disparut.

Le foie aussi avait disparu.

L'animal s'en était emparé. Aussi vite que s'il l'avait volé. Mais ce n'était pas du vol, c'était sa manière, celle de tous les renards et des êtres traqués par toutes les éternités. L'animal était retourné se tapir sous les bûches.

— Tu voudras que j'aille t'en rechercher ? Pour le moment, j'ai du lait.

Colin-Six ans prit le sac de lait pour défaire le nœud. Il appuya un peu dessus, parce que c'était rebondi, dodu, agréablement mou.

Il ne réussit pas à défaire le nœud trop serré, alors il creva le plastique avec une brindille. Un petit filet de lait jaillit comme d'une mamelle.

Le museau repointa à la limite des bûches. Colin-Six ans pencha la mamelle et le petit jet de lait. Le renard se mit à boire.

Colin-Six ans aurait aimé lui demander si ces deux traînées sombres sous ses yeux étaient des traces de larmes, et comment il s'y prenait pour tuer les poules, est-ce qu'elles souffraient ?

Mais le renard léchait le lait et le petit garçon n'osait plus parler.

Quand le renard eut fini de boire, il disparut une nouvelle fois sous les bûches.

Colin-Six ans se releva.

— Je vais retourner te chercher du foie. Motus et bouche cousue, si tu dis rien, je dis rien.

Coup d'œil à droite, derrière, à gauche.

— Fais gaffe aux Kyytwwug, chuchota-t-il. Des fois, on les voit pas, on leur marche dessus et alors ils se vengent. Mais si tu vois des Ghwilltt, raconte-leur ce que tu veux, c'est des copains.

Il ramassa son diabolo.

— Je vais te chercher aussi un nom, promit-il.

Et il partit en courant.

Loin en contrebas de la colline, du côté des marécages, un bosquet explosa de trois coups de fusil.

J'étais agacé.

Que Mamigrand ait parlé de papa de cette façon-là.

Que Blaise Rivière ait demandé après maman avec ce regard de merlu bouilli.

Que ce môme débile ait proclamé en chantonnant que j'étais amoureux de Madeleine.

D'autant que c'est exact.

Je suis amoureux d'elle depuis deux ans, voilà ce que je serais tenté d'affirmer. Mais quand j'y réfléchis de près, il me vient une évidence : amoureux d'elle, je l'ai toujours été.

J'ai senti un changement dans ma manière de la voir, de la regarder, de l'écouter, de penser à elle, lorsque je me suis mis à trop la regarder, à trop l'écouter, à trop penser à elle. Ces trop-là vous mettent la puce à l'oreille forcément.

En sa présence, j'ai probablement, moi aussi, un air de merlu bouilli.

Madeleine n'est pas du tout mon genre de fille. J'ignore, à dire vrai, quel est mon genre, j'en aime un tas. Je suis fou de Betty par exemple, au cours de judo. Elle vous exécute une clef en un éclair et vous aplatit au tapis sans cesser de sourire. J'ai un faible pour Astrid Karachi qui porte ses Adidas sur treize centimètres de semelle, motif zèbre, avec une élégante simplicité. Et Hayet Dehaouzi, la seule à qui je permets de me battre aux échecs et au flipper, je l'adore aussi. Mais aucune ne me fait l'effet que me fait ma cousine.

Elle n'est pas réellement ma cousine, ou à un degré astronomiquement éloigné... Sa mère est la fille d'une cousine de Mamigrand. Ne cherchez pas à quoi ça correspond, je n'en ai moi-même qu'une idée confuse.

Au reste, je n'ai aucune raison valable d'être amoureux d'elle. Elle arbore des airs de pimbêche que je déteste. En plus, elle ne tient pas assise plus de trois secondes sur un vélo alors que j'adore faire le tour des Cinq-Collines à deux roues. Et puis elle se croit obligée d'être constamment plongée dans un bouquin. Elle est sérieuse. Elle est vieille. Elle a quinze ans passés, nettement plus que moi.

Depuis mon arrivée à la Collinière, c'est elle que j'attends. (J'attends aussi ma mère, je ne suis pas un fils indigne, mais ce n'est pas du tout la même chose, reconnaissez.)

L'idée qu'elle va bientôt être là m'agite les orteils

au fond des chaussettes. Même si je sais qu'elle se fout de moi, et superlativement !

Pour me calmer, j'ai un peu aidé Clara à finir son travail. Clara a une qualité puissante : elle sait quand la parole est utile ou non. Nous n'avons pas échangé une phrase et je ne désirais pas autre chose.

Après, je suis allé faire un tour au fond du parc, là où il y a l'étang, où personne ne va jamais sauf le jardinier et moi, parce que c'est orienté au nord. Il y fait froid, sombre, même avec soleil, à cause des épais sapins bleus, et des érables centenaires.

J'ai escaladé mon vieux sycomore, mon sycomore à moi, dont la pointe dépasse le toit de la maison et le sommet de tous les autres arbres. Si l'on part du principe que la Collinière sur sa colline est l'endroit le plus haut perché de la région, mon sycomore devient le toit du monde !

J'ai eu plus de mal à grimper que l'année dernière. L'année dernière, ça m'avait déjà paru moins facile que la précédente… Les petits enfants savent voler, c'est bien connu depuis Peter Pan. J'ai donc, chaque année, moins d'enfance pour m'aider. J'ai treize ans et demi, voilà tout.

Perché à mi-tronc, la vie m'a paru néanmoins plus légère. Et la vue était belle.

La Collinière est bâtie en haut des Cinq-Collines. Elle a toute la campagne à ses pieds, et même plus bas que ses pieds.

Des versants, tout, absolument tout, dégringole en pente, même les allées. Quand il pleut, ça fabrique des torrents par tous les côtés. Une voiture prend des allures de hanneton qui fait de la varappe.

Aujourd'hui le temps était beau. À califourchon sur ma branche, je voyais loin.

Les toits rouges de Saint-Expyr dans le val, autour du clocher comme des souriceaux autour de leur mère. Le cimetière à flanc de coteau, ses cyprès plantés en barreaux. M. Bouh! l'épouvantail. À l'ouest, *Fleur Cottage*, la petite maison des Tashleen nos voisins les plus proches, des Américains. On distinguait de gros ballons orange posés sur leur gazon et leur perron : les citrouilles, les potirons d'Halloween.

Au nord, les marécages. Une silhouette de chasseur en compagnie d'un petit point qui lui courait devant. Peut-être Blaise Rivière et son chien Korvo.

Le vent creusait des plis à la surface des marais, comme les vertèbres d'un gros animal, peut-être qu'un brontosaure y vivait, caché sous la boue.

Ces marécages, on les appelle les Frissons. Et ça donne vraiment le frisson. Des gens embourbés y sont morts étouffés. Il y a des barbelés maintenant, on ne peut plus y entrer depuis qu'il est question de les assécher. En attendant, ça fume, ça crache et ça vapeure jaune opaque. Il y a des lucioles, le soir. C'est beau. Sauf que, vraiment, ça fout les jetons.

Un coup de fusil a fait trembler les collines, puis un deuxième. Puis leurs échos identiques. Et après, tout près, à quelques pas sous ma branche de sycomore, quelque chose a bougé. J'ai entendu un autre bruit. Quelqu'un se mouchait. Je me suis penché.

C'était un homme, un blond. Il se mouchait sonore. Je ne voyais que sa stature et le haut de sa tête, mais je ne le connaissais pas. Son pantalon à pli, flanelle vanille, et sa veste pied-de-coq, couleur cookie fait maison, ça détonnait un peu dans ce coin de campagne. Que faisait-il là, chez nous ? Dans le parc ?

Du haut de ma branche, je l'ai observé un instant ; j'en avais envie, et pas envie, comme chaque fois qu'on observe quelqu'un qui ignore votre présence, mais j'étais sur le point de l'interpeller quand un autre son s'est fait entendre de l'autre côté de mon sycomore, un son familier, les roues du fauteuil de Papigrand.

Pied-de-coq s'est avancé vers l'étang où s'était arrêté Papigrand, lui a tendu la main, mais Papigrand a laissé la sienne sur l'accoudoir du fauteuil, sans la serrer. Ce qui m'a étonné. Papigrand est très strict sur la politesse.

Il a fixé Pied-de-coq et lui a dit :

— Vous avez une minute.

Ce n'était pas une question, plutôt un genre d'ultimatum. L'autre a pouffé de rire. Puis il a reniflé à grand bruit.

— Erreur. J'ai toute la vie. (Il a pouffé encore.) Et comme je l'espère longue, il va bien me falloir... de quoi vivre !

La voix de Papigrand a sifflé, tout bas, très en colère :

— Vous n'aurez pas un sou de plus !

— Un sou ? Mais je veux plus ! Beaucoup, beaucoup plus !

Il a ri. Pour lui, ç'avait l'air d'une blague. En revanche, Papigrand ne rigolait pas, lui. Surtout quand le type a creusé, sur la terre trempée du bord de l'étang, avec le tranchant de sa semelle, un nombre : 40 000.

— Vous êtes fou ! s'est écrié Papigrand. Où est-ce que je vais trouver une somme pareille ?

— Vous n'avez pas à la trouver... puisque vous l'avez.

Papigrand s'agitait sur son fauteuil, ses mains étaient crispées, ses os tout blanchis sur la rampe en métal qui encercle les roues.

— Vous n'entendrez plus parler de moi, a susurré l'homme à la veste pied-de-coq.

— On ne se débarrasse jamais de personnages comme vous, hélas...

L'homme a souri. Un chasseur a tiré un coup de feu dans les collines. L'écho a répondu d'un autre coup de feu...

— Exact. On les tue.

Ce n'est pas Papigrand qui avait dit cela, mais Pied-de-coq qui repartit à glousser et à s'esclaffer.

— ... Mais uniquement dans les romans et les films ! Bon, assez ri.

Il renifla.

— Vous devriez vous moucher ! conseilla Papigrand avec dédain.

L'autre obéit.

— Mon nez est bouché, mais je sais où trouver de quoi me soigner, dit-il.

— Je ne vous demande pas de me raconter votre vie, laissa tomber sèchement Papigrand.

L'homme agita le bras, désinvolte.

– Non. Mais je compte sur vous pour lui donner un cours favorable ! À plus tard, hein...

Il fit demi-tour et s'éloigna de l'étang. Il fut bientôt englouti par les hautes ombres bleues des sapins.

Papigrand resta un moment immobile comme s'il réfléchissait, puis il desserra les freins de son fauteuil, et tandis qu'il manœuvrait pour orienter ses roues vers l'allée centrale, je vis à son expression que, tuer cet homme, Papigrand ne pensait qu'à ça.

MADELEINE

Saint-Expyr est le terminus du lambinard à deux wagons que la SNCF a vaniteusement baptisé express régional... et qu'elle supprimera bientôt comme tous les trains pas assez rentables.

Top-model et moi étions les seules à descendre. Saint-Expyr est aussi le terminus du monde.

Dès la sortie du train, nous avons été accueillies par une salve de coups de fusil. Dans le silence d'un train stoppé en gare perdue d'un trou perdu, c'était remarquable.

— *What's this?* a soufflé Top-model en une volte-face effarouchée.

Ses jambes étaient si longues qu'elles avaient ignoré le marchepied pour passer direct sur le quai. Debout sous l'écriteau peint « Saint-Expyr », notre héroïne remuait son joli museau avec inquiétude.

— Des chasseurs, répondis-je en me coltinant, moi, et comme tout bipède banalement constitué, ledit marchepied qui comptait trois degrés.

La gare d'ici possède des airs « cabanon à la rustique » avec tout l'accompagnement d'usage, les tuiles en terre vernie, les géraniums doubles, les rideaux en demi-cercle, et un M. Bezzerides, chef de gare à visière.

Le regard de M. Bezzerides suivit le jean qui moulait la moitié inférieure de Rochelle. Expliquons, à sa décharge, que les top néo-zélandais ça ne court pas les labours de Saint-Expyr ni des alentours.

— Vous prenez le car pour Mello-lès-Bussière ? demanda-t-il.

— Oh non, merci. On doit venir me chercher.

— Moi, p't-être bien ? fit-il d'un petit air malin.

Elle a souri, de ce sourire spécial qu'ont les ravis-
santes quand elles font tomber une herse entre elles
et l'univers; Laurie sourit exactement ainsi quand
on va en ville le mercredi, et que tous les beaux garçons de la terre paraissent n'être sortis que pour se
faire rabrouer par elle.

Ayant atteint les limites de ses ressources ès galan-
teries, M. Bezzerides se tourna vers la seconde voya-
geuse, moi en l'occurrence. Son œil glissa telle la
goutte sur le canard, puis vers la campagne vallonnée
derrière la loco... et fit illico marche arrière sur moi.

— C'est toi? s'exclama-t-il. Je ne t'avais pas
reconnue, qu'est-ce que tu as de changé?

Je me coupais dix kilomètres de tifs... et que me
disait-il, ce cuistre? *Qu'est-ce que tu as de changé?*

— Le vernis de mes orteils, sans doute, dis-je
(sans la moindre aigreur, je vous assure, et plutôt
amusée).

— Tes cheveux! Hein, c'est bien ça? C'est les
cheveux que t'as changés?

— Pas les cheveux, dis-je avec douceur. Leur
longueur uniquement.

Il n'entendit pas, car en même temps que je par-
lais, lui aussi parlait:

— Ta grand-mère vient te chercher?

71

Comme il était hors de question de lui raconter ma vie et encore moins ma matinée de pensionnaire en fugue, j'ai posé mon barda par terre pour me donner le temps d'une diversion ou d'une esquive... Le miracle est venu de l'Hubert qui passait par là.

L'Hubert travaille à la coopérative de primeurs. La famille Coudrier, il connaît depuis des siècles et des siècles. L'Hubert qui était juché sur son grand tracteur et que j'ai hélé séance tenante.

— Mado! s'écria-t-il avec un geste joyeux.

Son regard, comme celui de M. Bezzerides, a circulé, serpenté, aimanté, du côté de la ravissante. J'ai pensé : «Elle veut écrire des livres pour mômes, vous trouvez ça intéressant, vous?» Pas dupe, je me suis hissée sur le tracteur sans piper.

Il s'est tordu l'occiput vers elle.

— On vous emmène aussi? lui proposa-t-il.

(*Nota bene*: moi, il m'avait fallu le demander...)

Elle secoua la tête, répéta qu'elle attendait quelqu'un. J'ai failli préciser, teigne, «son petit ami». Puis non. Tout ça n'avait pas la moindre importance. Et, en dépit de son jargon *Vogue* et podiums, de ses poses, et de ses envies d'écriture, cette Rochelle de l'hémisphère Sud ne m'était pas absolument antipathique.

J'ai salué M. Bezzerides, son épouse à la fenêtre de la gare, un fermier du voisinage qui se trouvait là ; Rochelle m'a offert un clin d'œil de solidarité « entre filles », lancé *bye bye !* (prononcé *babaï* comme dans les films en v.o.), et l'Hubert a pu redémarrer son tracteur.

— Tu viens pour la Toussaint ? m'a-t-il demandé. Comme chaque an ?

— Comme chaque an. Mais cette fois je reste que trois jours. Après je vais rejoindre maman en Allemagne.

Le tracteur a entamé la série de virages qui creusent le flanc de la colline.

— Trois jours ? C'est pas beaucoup. Qu'est-ce qu'elle fait là-bas, ta maman, en Allemagne ?

— L'Europe, l'économie, les échanges, tout ça… Sinon, elle serait venue aussi. Pour l'anniversaire de Papigrand.

L'Hubert a souri au chemin qui tortillonnait devant nous :

— Pouvez jamais y couper, hein, à c't'anniversaire ?

— Sauf cas de force majeure.

Je ne sais pas si l'Europe était une force majeure, mais je devine qu'au fond, ç'avait dû arranger maman. Du coup, papa s'était cru obligé de rester aussi... Mais ne me faites pas dire ce que je ne dis pas!

— Qu'est-ce que t'as de changé? fit soudain l'Hubert en me scrutant deux secondes.

J'ai soupiré.

— Je me suis fait plomber deux dents.

— Tes cheveux, bien sûr! Qu'esse tu leur as fait? Tu les as éclaircis?

J'ai changé de sujet:

— Tout va bien à la Collinière?

— M'en a l'air. Ton grand-père est solide. Ta grand-mère encore plus. Et y a Clara qui veille. Et puis son neveu qui vient depuis Pâques remplacer le pauv' Pinède. Un peu freluquet, le neveu si tu veux mon avis...

Tactique très «Saint-Expyr» quand il est question de la Collinière: les gens vous répondent... sans répondre vraiment. Ils bifurquent. Non qu'il y ait des choses à dissimuler, mais c'est comme ça... Révolution et République ont beau être passées par là, on évite de parler des seigneurs du château.

— Comment elle va, notre Clara? dis-je.

— Comme nous tous. Elle vieillit. Heureusement qu'elle a ce neveu.

Le tracteur s'est mis à longer le mur du cimetière, les ifs alignés en noirs soldats, avec les pies, les corneilles, les choucas qui claquaient ailes et becs par- dessus les pierres et les croix.

Il y a eu un silence (enfin un temps sans paroles, car le tracteur, lui, faisait un sacré raffut) où L'Hubert et moi avons senti quelque chose flotter, un voile, une ténèbre, une pensée... La même : Dimitri.

Mon oncle Dimitri qui était parti, au printemps dernier, naviguer sur son voilier et s'était noyé.

Mamigrand avait-elle pu supporter le choc, tous ces derniers mois ? Comment allait-on la retrouver ? Dimitri avait toujours été son fils préféré.

Je l'aimais beaucoup moi aussi. Quand j'étais plus jeune c'est lui qui m'avait appris à nager, à nouer une corde, à marcher d'une certaine façon sur la plage pour éviter d'être frappée par la foudre ; et à danser. Oncle Dimitri était si bon danseur !

Aujourd'hui, il se trouvait là-bas, par-delà le mur devant lequel roulait ce tracteur, à quelques mètres de nous, dessous nous, dessous les ifs et les choucas...

J'ai serré les paupières, j'ai dit très vite :

— White Spirit a eu ses petits, il paraît.

— On lui en a laissé un. Les autres chatons...

Il s'est tu net, et j'ai failli m'esclaffer tellement c'était tragique. *Les autres chatons ont été noyés.*

Voilà pour m'apprendre à changer de sujet...

— C'est quoi, ce bazar que tu trimbales ? C'est drôlement lourd, dis donc, ma carriole avance à peine.

Mes bagages n'y étaient pour rien. Son tracteur se fendait tout simplement d'une pente de colline à quinze degrés.

— J'ai là-dedans les aventures de tout un escadron de policiers américains, dis-je. Mesurent tous deux mètres de haut et pèsent quatre-vingt-dix kilos...

L'Hubert a souri.

— Alors c'est à cause d'eux qu'on traîne !

J'ai glissé, en coin :

— Je suis pourtant moins lourde en cheveux...

Le tracteur a émis un hoquet.

— Bon sang, jeune fille... Tu les portais aux hanches ! Je me rappelle maintenant ! Tu les as donc coupés ?

Je me suis tournée pour empoigner sacs et bagages. J'ai crié :

— Espérons que d'autres que vous s'en apercevront !

— Hé, mais ! Rassieds-toi, on n'est pas rendus !

— Faites pas de détour pour moi, Hubert. C'est déjà gentil de m'avoir avancée de tout ça.

— Je peux…

— Je vous assure ! l'ai-je interrompu. Merci.

Il a protesté, j'ai fini par le convaincre. Il a continué encore un peu, jusqu'à l'endroit du versant où l'on aperçoit, contre le ciel, la grille de la Collinière entre les sycomores rouges.

— Voilà. Ligne droite maintenant.

Il m'a aidée à tout descendre.

— Tu es sûre… ?

— Certaine.

Il a fait demi-tour sur la côte, direction la colline voisine, et le bruit de son moteur a décru jusqu'au virage où on n'a plus rien entendu.

Alors le silence de l'automne m'a clouée un long temps sur place. Et la splendeur tout orange des Cinq-Collines, les fumerolles à la surface des marécages, le village dans la vallée, M. Bouh ! l'épouvantail dont on changeait les oripeaux chaque année et qui se ressemblait toujours.

La terrible familiarité de ces lieux.

Un hérisson a traversé le sentier à toute vitesse. Et moi, je me suis remise à gravir la pente.

J'avais deux raisons de ne pas vouloir que l'Hubert m'accompagne jusqu'à la Collinière.

L'une, peut-être altruiste : l'Hubert, ni d'ailleurs personne à Saint-Expyr, ne se sentait très à l'aise avec Mamigrand. La croiser au marché, à une vente de charité, sur la place de l'église, à la mairie… Passe. Mais l'affronter dans son nid d'aigle…

Le seul qui débarque parfois sans embarras apparent, c'est Blaise Rivière. Bien sûr, seulement quand Rose est là. Il est fou d'elle. Même quand elle était mariée avec le père d'Hermès, Blaise était amoureux d'elle. Tout le monde sait ça. Il l'aime toujours.

Quant à aller à la Collinière, observer Mamigrand dans le blanc de l'œil, ça n'a jamais ennuyé Blaise. Je crois même que ça l'amuse un peu.

Un autre hérisson a traversé le sentier.

– Ton pote est parti par là ! dis-je en pointant le doigt.

Je ne sais pas s'il m'a écoutée. C'était peut-être le même hérisson.

Mon autre raison de vouloir remonter seule jusque là-haut était, elle, intensément égoïste : le *twin-set* sublimissime acheté avant le train. Quelque chose me soufflait que ma coupe de cheveux y gagnerait si je l'enfilais maintenant…

Je me suis planquée dans un fourré. Manœuvre épineuse… dans tous les sens du mot. Ronces et mûriers étaient en pleine possession de leurs moyens.

J'ai couché, caché, sacs et bagages dans le fossé; je ne mourais pas d'envie d'attirer un curieux – volontaire ou non – et d'être surprise en plein déshabillage.

J'ai déballé et déplié le *twin-set*. Il était encore plus renversant que dans sa vitrine, c'est rare que ça fasse cet effet-là; je l'ai longtemps contemplé, avant d'enfin le glisser, il était doux, souple, et le feuillage mordoré lui donnait de chauds reflets. Je vous le dis: sublimissime…

Jamais je ne m'étais sentie aussi jolie… C'est-à-dire, pas jolie. Particulière… Particulièrement à mon avantage, mettons.

Comme je fouillais mon sac à dos à la recherche du miroir que Laurie m'avait donné hier soir, j'ai soudain entendu un craquement de brindilles derrière moi… J'ai fait un bond d'un mètre! C'était tellement inattendu!

Mon pied a accroché les ronces, ça m'a égratignée sur toute la longueur de la cheville, j'ai essayé de ne pas crier, je ne voulais pas crier; mais j'ai crié quand même à la pensée que ce pouvait être un chasseur à l'affût, et qu'être mise en joue comme un lièvre ou une taupe était une perspective horrifiante.

J'ai soufflé :

– Y a quelqu'un ?

Rien.

Rien. Ma respiration. J'ai regardé vers les fourrés d'où était venu le bruit, je suis restée immobile une longue minute, je n'en menais pas large.

Quand j'ai recommencé à bouger – je l'aurais parié – les taillis craquèrent de nouveau. Et mon œil a intercepté un mouvement sur le côté, impossible de le jurer car ça relevait de l'impression, presque de l'intuition.

J'ai appelé encore. Et j'ai fait deux ou trois bonds vers les buissons. Mais je n'ai vu personne. J'ai juste aperçu un truc qui brillait dans les feuilles mortes par terre. Une petite barrette dorée en forme de petit chien, de scottish-terrier précisément.

Je l'ai mise dans ma poche et je suis retournée près du fossé. J'ai empoigné mes sacs, mes livres, et le reste, et j'ai re-franchi la barrière de ronces. Je n'ai plus entendu de craquements.

Au-delà du cimetière, entre les collines, un vol de bécasses a traversé les roseaux fumants des Frissons… Une série de détonations éclata aussitôt. Des chiens se sont mis à aboyer. J'ai fermé les yeux un quart de seconde.

Quand je les ai rouverts, les bécasses avaient disparu ; et les collines retrouvé leur encombrant silence.

Je me suis sentie très triste subitement, et médiocre, mortifiée même. Et drôlement malingre avec ces bagages qui me pesaient au fur et à mesure que la pente raidissait, et qui m'empêchaient de fuir vite.

Je suis parvenue à la grille, devant la plaque de bronze « La Collinière » martelée en creux.

Avant de sonner, je me suis assise sur un des deux plots en granit, histoire de reprendre souffle, de ne pas débarquer suante et soufflante au cas où *il* aurait déjà été là…

Un vrombissement de moteur s'éleva alors du bas des collines.

En me perchant sur le plot, j'ai pu voir qu'une voiture beige arrivait. Mon cœur s'est mis à battre à deux cents coups minute. Cette voiture… était la voiture d'oncle Gil !

Pendant quelques secondes, je suis restée complètement tétanisée. Je me répétais « Oncle Gil, oncle Gil… » Et je demeurais sur mon perchoir ridicule, incapable de savoir quoi faire !

Courir ? Pas courir ? Vers lui ? Pas vers lui ? Arrêter la voiture ? L'attendre ? Ici ? Le surprendre ?

La voiture se rapprochait… C'était bien oncle Gil… Mais qui était assis à côté… ? On aurait dit…

J'ai quitté mon perchoir d'un saut, j'ai rassemblé mes paquets à toute allure, j'ai tout fait valser en bloc par-dessus la haie de troènes, et j'y ai plongé à mon tour…

Juste à temps ! Deux secondes plus tard, la voiture surgissait du dernier virage, et ralentissait devant la grille. La portière a claqué, quelqu'un est descendu.

— Comment qu'on entre ? fit la voix de Rochelle.

— Sésame ! répliqua celle d'oncle Gil. Tu vois cette bobinette ? Tirons-la et elle cherra peut-être…

À la proximité de sa voix j'ai su que c'est lui qui était descendu de voiture.

— Bobi… *what* ? s'exclama l'autre. Qu'est-ce que tu racontes ?

— Je vais sonner. Mais avant, si on récapitulait tout ?

— Mais j'ai tout compris, tu sais !… *One* : personne

ne doit savoir que tu es là depuis quatre jours. *Two* :
on vient d'arriver par le même train, *you and me*. J'ai
tout bien dit ?

— Parfait.

La voix de Gil devint velours. Il s'écoula un
silence, puis un long soupir est sorti de la gorge de
Rochelle, un gloussement, j'ai deviné qu'ils étaient
en train de s'embrasser. Qu'il était en train de
l'embrasser.

Puis la bobinette du portail a été tirée, la son-
nette d'ouverture a retenti, et la voiture est entrée.

Je suis restée longtemps derrière ma haie de
troènes, accroupie, ratatinée, toute refroidie, avec
mes bagages et mes paquets renversés, éparpillés à
mes pieds sur ma joie en mille morceaux.

Oncle Gil était celui pour qui j'avais sacrifié mes
beaux cheveux.

HERMÈS

Depuis toujours, aux vacances de la Toussaint,
Mamigrand nous rassemble à la Collinière pour
l'anniversaire de Papigrand.

Cet après-midi, au milieu des compotes et des confitures de citrouille, des cakes et des tartes, Papigrand allait fêter sa soixante-dix-huitième année de vie.

Pour son propre anniversaire, Mamigrand n'organise rien. Elle assure qu'elle n'a pas d'âge.

C'est presque vrai. Pour moi elle a toujours été une vieille dame, une grand-mère.

Parfois, elle soupire, étonnée : « Mon Dieu, tant d'années depuis Jacques Becker et Sacha Guitry ? Depuis Michael Powell ? »

Mamigrand a été danseuse. Après la guerre de 39-45, elle gagnait l'argent de ses cours en faisant de la figuration dans des ballets, des opéras et des films.

« Je jurerais que ça se passait l'an dernier... »

Elle dit cela à la façon d'une réplique de film, avec une tristesse haut perchée, un peu coquette. J'ai peine à imaginer, tout de même, qu'elle croit avoir tourné l'année dernière des films vieux de plus de cinquante ans !

Pourtant, lorsque, sur une vidéo, elle nous désigne une silhouette dans une scène des *Chaussons rouges*, ou une blondinette au musée de *Donne-moi tes yeux*, ou bien une vendeuse dans *Antoine et Antoinette*, quand elle pointe son doigt ridé sur l'écran, qu'elle chuchote : «Là ! Je suis là !» ça me fait comme une boule de pain sec dans la gorge, j'ai du mal à avaler, pourtant j'avale, parce que, sinon, je me mettrais à pleurer. Parce que Mamigrand vient de dire «je suis là» au lieu de «j'étais là». Et je comprends que sa tristesse haut perchée est quand même une vraie tristesse.

J'ai passé la jambe gauche par-dessus ma branche de sycomore afin que mes deux jambes soient du même côté, et j'ai commencé ma descente.

Depuis l'échange entre Papigrand et l'homme à la veste cookie il n'était venu personne dans cette partie du parc, sinon un couple de bergeronnettes près de l'étang.

En arrivant aux abords de la maison, j'entendis le ronronnement régulier d'une scie. J'aperçus Meyer en train d'élaguer un taillis.

— Salut ! dis-je.

Meyer a trois ou quatre ans de plus de moi, mais il est tellement pâle et fluet qu'il paraît presque moins âgé. Il est venu rendre visite à Clara, sa tante, pour quelques jours. Comme il fait des études d'horticulture, Mamigrand l'embauche, depuis ce printemps, à chaque vacances pour alléger le travail de Pinède qui a de l'arthrose.

— Je peux t'aider ? lui dis-je.

À voir ses mains maigres aux ongles rongés, je craignais presque de lui voir lâcher la scie électrique.

Il a secoué la tête. Sa longue frange lui mangeait le front et une partie de son visage.

— Mm.

Ce qui, vu son air, devait signifier non. Depuis trois jours que je suis là, je n'avais pas dû entendre sa voix plus de quatre ou cinq fois.

J'apprécie les gens qui parlent peu. Ils ne me ressemblent pas… Moi, parfois, je me fatigue.

ANNETTE ET VIOLETTE

— Pourquoi les petits chats ont toujours l'air étonné ? demanda Violette, brandissant Olismok à bout de bras au-dessus de sa tête.

Le chaton se tortilla dans les airs en couinant.

— C'est qu'ils voient le monde pour la première fois, dit Clara qui rinçait un chaudron. Tout comme les petits enfants.

— Allez nous cueillir des noisettes, voulez-vous ?

dit Mamigrand. Il va nous en manquer pour les cakes.

Annette lui posa une question, mais Mamigrand ne la comprit pas et se remit à sa pâte à cake.

— Elle t'a demandé, articula posément Violette, combien de gâteaux il y aura à la fête, cet après-midi. Tu ne lui as pas répondu.

Mamigrand eut un battement de paupières.

— Je ne l'avais pas entendue, mentit-elle. Treize. Il y aura treize gâteaux puisque votre grand-père aime ce chiffre. Je ne compte pas les bouchées et les tartelettes, bien sûr.

Annette contempla, son regard grave et fixe, le visage de sa grand-mère. À vrai dire, c'était bien l'unique chose qui pouvait demeurer immobile chez Annette : ses yeux. Le reste de son corps, ses pieds, ses jambes, son cou, ses bras, ses mains, sa langue, ses lèvres, remuait et valdinguait sans qu'elle puisse jamais prévoir dans quelle direction.

Sa grand-mère lui fourra une tartelette dans la main, et lui essuya sa bouche qui bavait un peu avec un coin de torchon.

— Tiens. Va avec ta sœur me chercher ces noisettes.

Violette redescendit le chaton à la hauteur de

son cœur, et elle entraîna sa jumelle. Tous trois sortirent par l'arrière ; Violette en courant, Olismok en piaulant, Annette à sa façon à elle. L'œil de lynx de Mamigrand eut le temps de distinguer la tartelette déjà tout écrabouillée entre les doigts tordus de la petite fille.

— Et faites vite ! dit-elle. Vous avez musique dans quinze minutes, vu ?

Tandis qu'elle enveloppait d'un linge propre le cake qui sortait du four, Clara suivit Annette des yeux. Elle se fit un signe de croix.

Du bout d'une fourchette, Mme Coudrier piqua une pâte à tarte en fredonnant : « *By a waterfall…* »

VIOLETTE ET ANNETTE

— Le chat, donne-moi le chat, s'il te plaît, dis, donne-le-moi.

Mais Violette avait décidé de faire attendre sa sœur jusqu'à ce qu'elles aient atteint la porte du potager.

Non. Après encore. Elle donnerait le chat à Annette quand elles seraient devant le noisetier.

— Pourquoi que tu me le donnes pas ? geignait Annette.

— Plus tard.

Violette laissa Annette ouvrir la porte du potager, ce qui prit cinq fois plus de temps que par n'importe qui d'autre. Mais dire que Violette était habituée à la lenteur de sa jumelle n'était pas exact. La lenteur d'Annette était *physiquement* inscrite en Violette, même si elle n'était pas handicapée.

Elle lui céda le chaton. Il s'agrippa au chandail d'Annette, et elle se mit à le caresser avec une ardeur maladroite, lui écrasant un peu la tête, l'empêchant de se trouver une position confortable.

— Tu lui ratatines le cerveau, dit Violette doucement.

— Je lui ratatine pas.

— Tu l'empêches de respirer.

— Il respire.

Violette le caressa aussi, soulevant au passage, et mine de rien, les doigts d'Annette afin d'alléger leur pression sur la petite bête.

Elles se rendirent au fond du potager, près du mur, où poussait le grand noisetier.

Annette posa Olismok sur son épaule, et se laissa

choir, à son habitude, sur le sol, pour récolter les fruits à son aise.

— Tu vas te salir, dit Violette.

— Et alors ?

— Alors je m'en fous. Regarde cette noisette, y a un trou...

Violette s'accroupit auprès de sa sœur et lui désigna le fruit percé.

— C'est de là que sort le balanin du noisetier, lui expliqua Annette. M. Sanders nous l'a expliqué en sciences.

Violette ne se souvenait pas. Annette retenait tout, même quand elle n'avait pas eu l'air d'écouter. Violette enviait cette magnifique mémoire.

Elle savait que la plupart des gens prenait sa sœur pour une débile parce qu'elle bavait, que sa langue sortait quand elle parlait, parce qu'elle portait des lunettes épaisses comme des tournedos, et que, quand elle courait, elle avait l'air de trimbaler des échasses. Ou des couches. Mamigrand par exemple, qui faisait si souvent comme si Annette n'existait pas.

Ou l'oncle Dimitri qui, lorsqu'il n'était pas encore mort, l'examinait parfois d'un drôle d'air, comme s'il était devant un engin sans mode d'emploi. Violette l'avait même entendu chuchoter : « Allez, sauve-toi, petite tordue. Je n'aime pas te voir ! » Il l'avait dit en riant, avec une grande douceur. Elle n'avait plus aimé oncle Dimitri.

Annette était parfaitement normale. Simplement, elle avait les muscles qui travaillaient en désordre. En désordre, c'est tout.

— Tu sais ce qu'il m'a dit, Papigrand ? dit encore Annette. Sur les noisetiers ?

— Non. Il t'a dit quoi ?

— Qu'un noisetier planté près d'une maison protège sa tranquillité. Il dit aussi que c'est l'arbre fétiche de notre famille parce que noisetier, ça se dit aussi coudrier.

— Eh ben, Meyer m'a dit qu'il faut toujours avoir une branche de noisetier sur soi, ça aide les gens perdus à retrouver leur chemin.

— Ah ? Et est-ce que tu savais que les baguettes des fées, elles sont en noisetier ?

— Tu crois ?

— D'après Papigrand.

Violette trouva sous les feuilles une badine humide. Elle l'agita en l'air. Le chaton se mit à sauter autour pour l'attraper.

— Je suis une sorcière ! brama Annette.

— Moi aussi! cria Violette en imitant sa sœur. *J'essuie une saucière!*

Elles se turent, frappées par la même idée.

— Tu ferais quoi, toi, avec une baguette de fée? demanda Violette.

— Je me transformerais en danseuse étoile très célèbre, répondit Annette. Et toi?

— Je me rendrais invisible quand je le voudrais.

— Je ferais que maman ne soit plus malade.

— On ira la voir après la musique?

— Mamigrand veut pas qu'on la fatigue.

— Tu sais bien que c'est pas seulement pour ça. Elle veut pas qu'on soit seules avec elle depuis que Colin-Six ans l'a retrouvée morte, tu sais, quand elle avait pris ses cachets…

— Elle était pas morte, puisqu'elle est vivante.

— Peut-être qu'elle a ressuscité à cause du noisetier et des baguettes de fées.

— Non. C'est grâce à Colin-Six ans. Il a rameuté. Mamigrand, elle le répète toujours, « Colin-Six ans a rameuté. »

— Colin-Six ans est une fée.

L'idée les mit en joie.

Annette s'empara de la branchette, l'agita comme un chef d'orchestre désarticulé. Le chaton suivait.

— Abracadabra… Abra…

Ses mains étaient couvertes de terre, des morceaux de feuilles mortes collaient à ses joues. Son regard se figea sur le mur opposé, à l'autre bout du potager.

— Oh, soupira-t-elle. Je viens de faire apparaître quelqu'un.

Sa sœur se tourna dans la direction de son regard.

— Qui ça ?

Elle ne voyait personne.

— Mlle Austerlitz… Elle vient de grimper par-dessus le mur.

— Par-dessus le mur ? répéta Violette incrédule.

Elle imaginait mal leur très sérieuse maîtresse de musique en train de varapper sur les murs de la maison !

— Chut. Regarde…

Annette balança son menton dans deux ou trois directions avant de réussir à le pointer, à peu près, sur la porte du jardin.

Fredericka Austerlitz, leur professeur de musique était là, en effet.

N'était-ce pas étonnant ? Saugrenu même ?

Elle ne les avait pas vues, et ne les voyait toujours pas.

Elle se tortilla un instant dans sa jupe afin, purent constater les jumelles, de retirer les collants qu'elle portait et dont elle fit une boule qu'elle fourra prestement dans sa poche, puis elle se faufila avec beaucoup de précautions le long du mur du fond. Un côté de sa coiffure était tout défait.

Violette plaqua la main sur les lèvres de sa sœur afin de l'empêcher de parler, se penchant à son oreille :

— Je crois, chuchota-t-elle le plus bas possible, qu'elle ne veut pas qu'on la voie. Je crois qu'elle se cache…

Par prudence, elle fourra le chat sous son sweat-shirt, glissa le bas du sweat-shirt à l'intérieur de sa ceinture. La bestiole y piqua un somme en moins de dix secondes.

Annette ouvrit la bouche… Violette lui coupa son élan :

— Je ne sais pas pourquoi elle se cache ! se hâta-t-elle de murmurer. Et ne parle pas, s'il te plaît.

Annette était incapable de mesurer sa voix. Comme nul n'en avait mieux conscience qu'elle-même, elle obéit à sa sœur et garda le silence.

À l'abri des longues branches en chandelier du noisetier, elles purent observer Mlle Austerlitz à loisir et sans être repérées. Outre que leur professeur était décoiffée, elles constatèrent que sa jupe était fripée, et qu'elle portait son sac à main sous le coude et ses escarpins à la main, qu'elle marchait, par conséquent, pieds nus. Elles constatèrent aussi que, malgré tout cela, Mlle Austerlitz demeurait très jolie.

Elles la virent qui se rechaussait en jetant un rapide coup d'œil autour d'elle, et qui ouvrait très très lentement, pour ne pas la faire grincer, la porte du potager. La laissant entrebâillée, Mlle Austerlitz s'éclipsa de l'autre côté.

Les jumelles se regardèrent, perplexes.

— Elle a escaladé le mur pour entrer dans le potager, souffla Violette qui n'en revenait pas.

— Mmm. C'est pour ça qu'elle a retiré ses chaussures.

— Pourquoi qu'elle n'est pas entrée par la porte, comme tout le monde ?

— Parce qu'elle se cachait.

— Et pourquoi elle se cachait ?

Annette fit une énorme grimace, en tirant une langue longue comme ça, ce qui la fit baver un bon kilomètre, et qui les fit s'écrouler de rire, toutes les deux, parmi les noisettes.

— N'empêche, fit Annette qui tendit la main afin que sa sœur l'aide à se redresser, elle est vachement jolie, Mlle Austerlitz !

Et Violette se remit à pouffer parce qu'Annette prononçait « Mademoiselle Austerlitz » : « Mademoiselle Au Serre-Livres ».

Mais le regard d'Annette était devenu soudain rêveur et nostalgique.

— Hein ? Tu trouves pas qu'elle est jolie ? s'obstina-t-elle.

— Mamigrand dit qu'elle se maquille trop et très mal.

Annette ramassa deux noisettes, mais elle les fit tomber en voulant en ramasser une troisième... qui devint ainsi la première de la série suivante. Mais cela ne la fâchait pas, ni ne la décourageait. Annette avait toujours possédé toute la patience du monde.

— Elle me fait penser à un poussin.

— Qui ça ?

— Mlle Austerlitz.

— Mmm. Elle a des sourcils tristes. Ils tombent comme ceux...

— D'Emmanuelle Béart ?

— De Pinocchio.

Violette haussa les épaules.

— Et toi ? lança-t-elle à Annette. T'es pas un peu Pinocchio, toi ?

Annette lui sourit placidement.

— Si je suis Pinocchio, tu l'es aussi. Puisqu'on est jumelles.

Violette la dévisagea. Puis elle lâcha soudain les noisettes qu'elle tenait, passa ses bras autour du cou de sa sœur, se serra contre elle en disant à voix basse :

— Pardon, pardon... Bien sûr qu'on est pareilles. On est pareilles.

— Bien sûr que non.

— Si. Mais si.

Annette recula. Elle toucha le sweat-shirt de Violette, là où le chaton faisait une montagne minuscule.

— Il va étouffer, dit-elle lentement, encore plus lentement que d'habitude. Lui non plus, il ne va plus pouvoir respirer...

Au moment de leur naissance, le cordon ombilical de Violette s'était enroulé autour du cou d'Annette. Pendant trois minutes, Annette n'avait pas respiré, son cerveau avait manqué d'oxygène.

Voilà. C'est pour ça qu'Annette ne pourrait jamais marcher, ni courir gracieusement, ni écrire élégamment, ni parler, ni chanter, ni enfiler un col-

lier de perles, ni couper sa viande, manger un esqui-
mau ou de la soupe, ni boire un verre d'eau sans faire
rigoler les copines… À cause de trois petites minutes.

Violette libéra Olismok toujours endormi, le
posa sur l'épaule de sa sœur.

— Et on dit quoi à Mlle Austerlitz ?

— Rien surtout ! fit Annette. Motus et bouche
cousue.

Et elles éclatèrent de rire. Violette parce que,
prononcé par Annette, cela sonnait « Babouche et
louche couillue ». Et Annette parce qu'elle adorait
quand sa sœur riait.

Le chaton s'éveilla en écarquillant les yeux.

— Pourquoi ? fit Violette. Pourquoi les petits
chats ont toujours l'air étonné ?

MADELEINE

Longtemps je suis restée cachée derrière ma haie
de troènes.

Lorsque les deux copains hérissons sont repassés
en sens inverse sur le chemin devant moi, j'ai trouvé
ça tellement rigolo que j'ai éclaté en sanglots.

MADELEINE

J'ai laissé mon barda à l'abri des troènes et suis redescendue par le chemin.

À mi-parcours, à gauche, il y a un minuscule sentier ; non, même pas, plutôt une trace dans la végétation. C'est le raccourci qui mène à la vallée, par les Frissons, et à travers champs.

Je ne voulais plus voir personne. Surtout personne de la Collinière. J'allais revenir… mais pour le moment j'avais besoin d'air.

LES JUMELLES

— Bonté du ciel ! dit Clara. Vos mains… Et vos joues ! Et vos genoux ! Allez me laver tout ça !

Contrairement à ce que supposaient les jumelles en regagnant la cuisine, une fois la récolte de noisettes remise à Mamigrand, et rendu Olismok à sa mère légitime, on leur dit que Mlle Austerlitz leur professeur de musique n'était pas arrivée.

Elles se coulèrent un regard entendu.

— Mlle Austerlitz n'est pas en retard, il reste cinq

99

minutes, nota Mamigrand. C'est heureux pour vous car vous êtes très sales, Clara a raison, allez vous laver.

Violette ouvrit la bouche pour... mais cette fois ce fut Annette qui l'empêcha de parler en lui lançant un coup de coude. C'est-à-dire qu'elle lui expédia au petit bonheur quelques coups de bras, de hanche, d'épaule, avant de tomber juste. Mais Violette avait compris le message.

— Allez vous nettoyer et installez-vous dans le salon de musique, continua leur grand-mère.

Elles obéirent. Dans le cabinet de toilette du vestibule, elles trouvèrent Colin-Six ans. Il se tenait de dos, penché sur le côté tel un bossu.

— Tu pourrais fermer la porte ! fit Violette. Puis, intéressée : Tu fais pipi ? interrogea-t-elle.

Il s'était retourné, embarrassé, cramoisi, après avoir rangé en vitesse quelque chose dans sa poche. Il bafouilla :

— Non... je fais pas pi...

— Il a caché un truc ! fit Annette.

Elle ouvrit de grands yeux :

— Y a du sang sur ses mains !

Des taches, qui ressemblaient en effet à du sang, maculaient les deux mains de leur petit frère, depuis les ongles jusqu'aux poignets.

— C'est rien… dit-il. Je… J'ai saigné du nez.

— Purk ! dit Violette

— Purk ! dit Annette.

Il ouvrit le robinet du lavabo et se rinça à toute vitesse. Violette remarqua alors que la poche où « il avait caché un truc » formait une bosse. Sans réfléchir, elle y plongea la main…

Elle se dégagea aussitôt !

Ses doigts venaient de s'enfoncer dans une gélatine glacée. Quand elle les ressortit, avec, pendouillant au bout, un machin sanguinolent, mou… elle poussa une clameur d'horreur et lâcha tout par terre !

Ledit machin alla s'aplatir sur le carrelage dans une sonorité répugnante. Violette contemplait sa main rougie comme un objet étranger à son corps. Elle gonfla ses poumons en prévision d'une autre clameur (de panique vraisemblablement) ; mais elle suffoqua… car la chose, en plus, puait !

— Chut… implora Colin-Six ans. Moins fort.

— C'est quoi ? C'est quoi cette dégueulasserie ? cria Annette (qui sembla avoir dit *Charlie et la Chocolaterie*).

Violette ouvrit l'eau en grand, et se frotta avec autant de frénésie que si elle avait voulu s'arracher les phalanges.

— C'est du dégueulis ?

— De la morve que t'as saignée ?

Colin-Six ans secoua la tête formellement.

— C'est... du foie.

Il se baissa et entreprit de tout ramasser, ce n'était pas facile, ça dérapait en gelée, glissait comme un palet de hockey. Tout ça avec des couinements de ventouse révoltants.

— Du foie ?!

Annette et Violette fixèrent, incrédules, horrifiées, le visage confus de leur petit frère.

— Burk !

— Burk !

— Du foie cru ?

— Du foie de quoi ?

— Du foie de poulet. Il est petit.

— Pourquoi tu te trimbales avec du foie de poulet dans la poche ?

Il réfléchit. Il trouva.

— C'est pour Blaise Rivière. Il dit que les renards aiment le foie. C'est pour l'attraper.

— Attraper qui ?

— Le renard.

Les jumelles s'entre-regardèrent.

— Ma parole, il est malade.

– Débile.

– En plus d'être somnambule !

Quand la poche de leur petit frère eut ré-englouti la quasi-totalité du machin gluant puant, on essuya le sol avec le papier-toilette.

– Vous disez rien à Mamigrand, hein ? implora-t-il. J'ai pris son foie qu'était dans le frigo.

Trop heureux de s'en tirer sans fournir plus d'explications, Colin-Six ans se faufila dans le vestibule.

– Hep ! le rappela Violette.

Il stoppa, vaguement anxieux. Elle commença :

– Quand on a un nom de poisson, Hareng-Six ans...

– ... on chasse pas le renard, on pêche le merlan ! acheva Annette.

Il les entendit s'enfermer, et glousser comme des commères derrière la porte des toilettes. Doucement il ouvrit celle du hall, non sans laisser une traînée rougeâtre sur la poignée. Enfin il se retrouva dehors, soulagé d'avoir pu garder son secret. Il partit en courant vers le bûcher.

Ni lui ni ses sœurs n'avaient remarqué que deux pieds déchaussés attendaient, sagement, sans bouger, dessous l'ourlet des tentures de fenêtre.

Quand les lieux furent redevenus calmes et silencieux, l'ourlet frémit, deux escarpins se posèrent devant les deux pieds déchaussés… qui s'y glissèrent en hâte. Une silhouette se faufila hors des tentures, et traversa le vestibule en direction du salon de musique.

— Mademoiselle Austerlitz! s'exclama, juste derrière, la voix de Violette. Bonjour!

— Bonjour! On est à l'heure! fit celle d'Annette.

Fredericka Austerlitz pivota vers ses deux élèves qui venaient de surgir du cabinet de toilette, les joues et les mains encore mouillées de leur savonnage.

— Bonjour! répondit Mlle Austerlitz avec un grand sourire. On s'installe?

Les jumelles la suivirent dans le salon de musique. Non sans remarquer que, depuis l'épisode du potager, Mlle Austerlitz avait secoué et lissé sa jupe, brossé ses cheveux même si elle n'avait de barrette que d'un seul côté, et qu'elle s'était rechaussée. Elle avait son air normal. Mais pas de collants.

— Aujourd'hui, dit Mlle Austerlitz en tirant du placard aux instruments le violoncelle dans son étui, nous allons commencer l'étude d'un nouveau morceau, *Diable et Daniel Webster*. Je vous le joue d'abord?

HERMÈS

La voiture surgit soudain d'un virage de la grande allée. Je n'eus que le temps de sauter sur le talus. Coup de klaxon. Et j'entendis un rire. Un rire que j'aurais reconnu entre dix mille.

– Cette bagnole a pas mal de PV sur la conscience, tu veux en plus qu'elle ait un équarrissage ?

Oncle Gil me fit un petit salut moqueur par la portière, comme si on s'était vus hier, alors que ça faisait des mois.

– Qu'est-ce que tu fabriques dans les virages, jeune promeneur solitaire ?

C'est le problème avec oncle Gil. Il dit toujours le truc désagréable. En soi « jeune promeneur solitaire » n'a rien de désobligeant, je vous l'accorde. Mais quand j'eus aperçu la magnifique créature assise à côté de lui, je me mis à haïr « promeneur solitaire » et toute son ironie ! Cela vous avait un petit côté « Alors on fait joujou tout seul ? » parfaitement exaspérant.

– Tu montes ?

Il n'y avait que deux cents mètres d'allée

jusqu'au perron. Si j'acceptai, ce fut pour admirer de près la passagère.

Pendant que je claquais la portière, l'idée me vint que la dernière fois que j'avais vu oncle Gil, c'était en avril, à l'enterrement de son frère aîné, oncle Dimitri. Lui, je l'aimais beaucoup. Tout le monde aimait beaucoup Dimitri.

— Bonjour ! articula la créature (elle avait un accent grisant). *My name is Rochelle*, comme la ville. La Rochelle. Mais j'y ai jamais allée.

— Moi c'est Hermès.

— Hermès ?

Ça ne me dérange plus qu'on s'étonne. Pour me consoler, je me dis que mes parents auraient pu m'appeler Nabuchodonosor ou Thierry.

— À cause d'Hermes Pan, expliquai-je machinalement.

Elle ne savait pas qui c'était, évidemment.

— Le chorégraphe et la doublure de Fred Astaire, ânonnai-je. Fred Astaire est l'idole de ma mère. Elle est danseuse.

— Oh oui ?

— Elle arrive quand, ta mère ? demanda oncle Gil via le rétroviseur.

— Cet après-midi.

– Pas pressée! murmura-t-il, laconique.

– Moi je suis là depuis lundi, dis-je pour compenser.

Je savais ce qu'il pensait.

Le rendez-vous du 31 octobre est un rendez-vous sacré. Immanquable. Jamais manqué. Personne n'oserait. Et pourtant tout le monde en rêve, en caresse l'idée à la dérobée! Mamigrand serait très fâchée. Alors la famille pratique l'autopersuasion :

– C'est l'occasion de prendre l'air.

– L'occasion de venir.

– De se voir.

– D'avoir des nouvelles.

Sauf l'oncle Gil. Lui, tranquillement, il dit :

– De se faire chier.

Ou bien :

– De prouver que, les mômes, c'est vraiment la plaie.

Les mômes, c'est nous. J'en fais partie, en dépit de mes presque quatorze ans. Il est le plus jeune frère de maman, et le seul à oser envoyer paître Papigrand ou à répondre tac-tac-tac à Mamigrand.

N'empêche. Lui non plus n'a jamais raté le rendez-vous.

Petit, je l'avais adoré. J'admirais ses piques ironiques et ses grands rires désinvoltes. Jusqu'au soir de pleine lune où il m'a fait accrocher treize ballons autour des cuisses en m'assurant que si je répétais trente-trois fois *Saute et sauteras, vole et voleras, des ailes il me poussera* juché sur le muret de la rivière, je m'élèverais illico vers les nuages… Tonton Gil avait probablement supposé qu'avec un mètre de mur, je risquais au pire une écorchure et une déconfiture.

Il ignorait que, tout empli de ma foi en lui, certain de m'envoler, j'avais choisi pour piste d'envol le toit de la maison…

Grâce à la vigne vierge qui avait intercepté ma chute, mais certainement pas aux trente-trois *saute sauteras, vole voleras* que j'avais docilement psalmodiés, j'écopai du minimum : un tibia en miettes, un nez aplati, une pommette fendue, un coccyx fêlé, un orgueil en bouillie et une confiance en l'humanité à jamais démolie.

Gil était venu me rendre visite à l'hôpital, *Le Comte de Monte Cristo* à la main.

– Tiens, avait-il dit, mi-figue mi-citron, en me tendant le bouquin. Le récit d'une vengeance.

Je ne l'ai plus vraiment adoré depuis.

La voiture a freiné devant la maison. Mamigrand et Papigrand attendaient en souriant. Mamigrand avait posé le bras sur une épaule de Papigrand. Très « retour du fils prodigue ».

Comme chaque fois que je vois Papigrand à une certaine distance, il m'a paru bizarre, assis, là, dans ce fauteuil roulant. Même si son accident date d'il y a dix-huit ans et que, donc, je l'ai toujours connu dans cet engin.

Papigrand a été un grand tennisman dans les années cinquante, et malgré l'âge, il a gardé des épaules larges, une vaste carrure, et un éblouissant sourire de sportif. Dans sa petite chaise, il a l'allure d'un géant plié dans une boîte. Et un air terriblement absent.

— Je ne savais pas que tu avais un père aussi beau ! s'est exclamée Rochelle avant qu'on descende de la voiture.

— Je t'ai dit que je lui ressemblais ! rétorqua oncle Gil avec un sourire en coin.

Papigrand portait encore son bronzage de l'été, et il souriait. Ma grand-mère dit que c'est de son sourire qu'elle est d'abord tombée amoureuse. Tout de même, ça me surprenait qu'une fille jeune comme Rochelle trouve beau un homme de cet âge-là.

Oncle Gil a embrassé Papigrand, ils se sont dit

les trucs habituels, tu as bonne mine, tu rajeunis, tu ceci, tu cela.

— Qu'est-ce qu'on entend ? a soudain demandé oncle Gil.

— Du violoncelle. Les jumelles ont leur cours de musique. Avec l'Autrichienne.

Tandis qu'elle répondait, je voyais que Mamigrand examinait, en catimini, Rochelle.

En deux secondes et demie — ce fut visible comme le bout sur le nez — elle avait analysé et conclu : cette Rochelle ne pouvait pas être une épouse pour son fils. À partir de là, Mamigrand l'a effacée, ignorée, rendue invisible.

ANNETTE

— Qu'est-ce qu'on entend ? se demanda Annette.

Elle s'ennuyait. Elle connaissait le solfège aussi bien que sa sœur.

Elle avait beaucoup aimé écouter Mlle Austerlitz jouer la partition de *Diable et Daniel Webster*. Mlle Austerlitz avait, en plus, une ravissante barrette dorée en forme de petit chien, qui se balançait sur ses cheveux à chacun de ses gestes au violoncelle, et Annette s'était amusée à faire des paris. La barrette tomberait-elle?

Mais ça durait, elle en avait assez. Le problème, c'est qu'Annette ne pouvait pas, comme sa sœur, jouer du violoncelle. L'an dernier, Mlle Austerlitz avait essayé de l'initier au xylophone, mais bien sûr il avait fallu renoncer... Annette avait beau se concentrer, vouloir, vouloir de toutes ses forces toquer les lames *sol,* ou *ré,* ou *si*... ça tombait au pif sur *mi*, *do*, là, et même, bang! de traviole sur le cadre.

— Violette, reprenait la voix patiente de Mlle Austerlitz, cette musique est la voix du diable, elle doit ricaner, persifler, grincer même, mais certainement pas bégayer!

Annette avait aussi essayé le piano. Parfois sa main frappait la bonne touche... mais concentrer ses muscles prenait tant de temps qu'il n'était plus question de tempo ou de rythme; et alors, la musique n'avait plus aucun sens.

Jamais elle ne jouerait d'un instrument. Jamais elle ne saurait danser. Elle soupira.

Dire que Violette jouait si mal! C'était ça le pire.

Annette *pressentait*, *SAVAIT* que, si ses doigts avaient pu remuer dans l'harmonie et le bon ordre du monde, eh bien, elle aurait bien mieux, tellement mieux joué que Violette !

Le son d'un moteur, dehors, bouscula la sérénité des bredouillis musicaux de Violette.

– Je vais te montrer, dit Mlle Austerlitz à son élève.

Annette attendit que Mlle Austerlitz se fût remise au violoncelle pour, discrètement, se pencher et lorgner entre les rideaux.

– Oncle Gil ! laissa-t-elle échapper dans un murmure.

Ce qui se passa alors fut ténu, inattendu, mais enfin, cela eut lieu : l'archet de Mlle Austerlitz dérapa.

Violette et Annette dévisagèrent, étonnées, leur professeur de musique. Une fausse note ? Ou le diable avait-il fait entendre sa voix ?

Fredericka Austerlitz, rougissante, pinça les narines et les lèvres… et les cordes.

– Excusez-moi, dit-elle sèchement.

– Oncle Gil est arrivé ! répéta Annette. Est-ce qu'on peut aller lui dire bonjour ?

Elle se leva et courut dans un tumulte de jambes,

de bras et d'avant-bras. Dans ces cas-là, l'appareil orthopédique caché sous son jean, grinçait et rouspétait comme un vieux garçon en colère.

– Du calme, Annette! dit Fredericka Austerlitz. Assieds-toi!

Elle parla si durement qu'Annette s'arrêta aussitôt. Mlle Austerlitz ne parlait jamais ainsi!

– Laisse ta sœur finir la page. Ensuite, vous sortirez toutes les deux.

Sa voix s'était radoucie.

Annette jeta un regard à sa sœur pour qu'elle se dépêche, mais la pauvre Violette, voulant obéir, fit tout le contraire. Implacable, Mlle Austerlitz lui fit reprendre ses bémols à trois fois.

Soudain, poussés par l'extérieur, les battants de la fenêtre s'ouvrirent. Le soleil entra dans la pièce et l'oncle Gil apparut dans l'embrasure.

– Le loquet n'était pas mis, dit-il en manière d'excuse. Bonjour, les filles. Puis-je entrer?

Il entra sans attendre la permission qu'il demandait, en deux bonds athlétiques à travers la fenêtre. Annette se jeta contre lui avec un cri de joie. Violette fut plus mesurée. Elle aimait bien oncle Gil, mais pas autant que sa sœur. Parfois même, il l'intimidait. Quand elle était petite, elle était même un peu effrayée par ses yeux qu'elle trouvait trop noirs.

Il reposa Annette qu'il avait soulevée dans ses bras.

— Bonjour, dit-il.

Et tandis qu'il se penchait, Annette vit le regard d'oncle Gil chercher la direction de Mlle Austerlitz. Elle aussi le regardait. Sa bouche était toute pâle, ses joues toutes roses.

— Bonjour, Fredericka! lui dit-il en se redressant.

— Bonjour, répondit Mlle Austerlitz à voix basse.

Elle leur tourna le dos et se mit à ranger le violoncelle dans l'étui. Oncle Gil prit la main de ses nièces.

— Si votre leçon est finie, je…

— Elle est finie, coupa Mlle Austerlitz. Vous pouvez les emmener avec vous.

Elle resta le dos tourné, à ranger le matériel de musique.

Tandis qu'elles suivaient leur oncle dans le couloir, les jumelles se renvoyèrent une longue grimace. Cela consista en une série de froncement de sourcils, ponctuée de gonflages de joues, de dispari-

tion de lèvres et de louchage féroce, et cela signifiait qu'elles avaient compris qu'entre oncle Gil et
Mlle Austerlitz il y avait anguille sous roche.

MADELEINE

La campagne autour de la Collinière est une
campagne de livres d'images, rebondie, grasse, oran-
gée en automne, et c'était l'automne.

Le *twin-set* ne me tenait guère chaud, j'ai bou-
tonné le gilet jusqu'au cou, les sacs avec mes pulls
étaient restés dans le fossé près de la haie de troènes ;
heureusement, avec mes baskets, cheminer dans la
terre n'était pas un si grand problème.

Les Frissons, sur ma droite, fumaient comme des
sapeurs, en nuées interminables, vertes et jaunes,
entre les souches griffues, les roseaux, et les arbres
secs. Le soleil se faufilait dans la veste de M. Bouh !,
à ma gauche, entre ses replis et ses plis, comme
quelque chose d'animé sur une masse inanimée…

Je me suis assise sur une pierre près du ruisseau
et j'ai essayé de réfléchir. Ce n'était pas facile, tout

me traversait en désordre, mon réveil tôt ce matin, mon escapade de l'internat, Laurie qui m'avait encouragée, le *twin-set* sur le mannequin d'ébène, le salon de coiffure, ma chevelure suicidée. Plus rien à voir avec *Les Quatre Filles du Dr March*! Cela me rappelait plutôt cette jeune femme qui vend ses beaux cheveux pour acheter une chaîne de montre à son mari, pendant que, lui, vend ladite montre pour payer à sa femme un peigne... Final poignant sur leurs cadeaux réciproques et inutiles. Mais eux, au moins, voyaient leur amour grandi!

Moi... ?

Oncle Gil avait toujours ignoré tout de moi. Pas la peine de me raconter des histoires : j'étais une petite gourde pour lui. Trop petite. Et très gourde. J'avais quinze ans, et comme un siècle à rattraper.

Quel destin vilain et tordu avait organisé ma rencontre, dans le train, avec sa petite amie, cette Rochelle sa... sa (le mot fit de la résistance, comme un noyau avalé par mégarde ou une bouchée mal mâchée)... sa maîtresse?

Les larmes me sont montées aux yeux, doucement, avec une lenteur de marée, j'ai attendu presque avec satisfaction l'instant ou elles allaient déborder de mes yeux et envahir mes narines et ma bouche...

— Dis donc, c'est dangereux de rester là.

J'ai regardé par-dessus mon épaule, vers la voix. Une silhouette avançait à longues enjambées dans le contre-jour, un fusil pointant en zigzag de baïonnette sur le ciel.

— Il y a trente chasseurs à l'hectare. Certains ne sauraient pas distinguer un lapin d'une Twingo.

Le zigzag, c'était mes larmes : ça vibrait comme de la gelée.

— Qu'est-ce que tu fabriques cachée là ?

Et à travers la gelée, c'était Blaise Rivière. Avec, à ses pieds, Korvo son pointer.

— J'suis pas un lapin, dis-je en me frottant la paupière d'un revers preste. Ni une Twingo. Et puis on dit bonjour, d'abord.

— Bonjour Madeleine, dit-il gentiment.

— Salut.

Il fit semblant de ne pas voir que je pleurais. Il a tiré sur son pantalon au niveau des genoux pour s'asseoir à côté de moi. J'ai essuyé, humff, ma narine droite sur ma manche droite.

— Voilà un bout de temps qu'on ne s'est pas vus, dit-il. Ça va, dans ta pension ?

Humff, ma narine gauche sur ma manche gauche. Blaise Rivière a sorti de sa poche quelques

feuilles de Sopalin qui avaient été pliées avec
sérieux. Il a tiré, sec, sur le pointillé, m'a tendu deux
feuilles.

— Un internat, ai-je rectifié après un débou-
chage ferme et résolu de mon nez. Oui, ça va pas
mal.

Il contemplait les labours et M. Bouh!, au centre,
qui nous observait sous les bords de son chapeau en
paille.

— On est après un renard, m'expliqua-t-il au
bout d'un silence. Un sacré zigoto, si tu veux mon
avis.

Je n'en voulais pas spécialement, non, de son
avis. Au reste je ne voulais rien, que le droit et le
loisir de m'apitoyer en paix sur moi-même. Mais
j'aime bien la voix de Blaise, sourde et voilée
comme celle des chanteurs italiens.

— On n'est pas loin de l'attraper.

— Dans *La Hulotte*, ils racontent qu'un renard
avait élu domicile dans une cour de ferme, qu'il
chassait partout sauf dans le poulailler qu'il squattait,
du coup personne ne se doutait qu'il se cachait si
près.

— Ça ne m'étonne pas. Le renard est un sacré
bestiau. Moi, j'ai du respect.

J'ai pensé : «Pourquoi le chasser alors ? Pourquoi le courser avec des fusils ?» Mais c'était un terrain compliqué.

— Papigrand fête son anniversaire cet après-midi.

— Ta grand-mère nous a dit ça. Quel âge ça lui fait ?

— Papigrand ? C'est marrant... mais j'en sais rien.

Le Sopalin chiffonnait dans mes doigts.

— Est-ce que Rose vous a invité ? dis-je.

Blaise m'a gratifiée d'un regard périphérique sous son chapeau. Un peu comme M. Bouh ! sous le sien, là-bas.

— Invité ? Rose ? À quoi ?

— À l'anniversaire de Papigrand.

Il a ri, très court.

— Il y a belle lurette que...

Sans finir sa phrase, il s'est brusquement mis debout en me présentant sa main pour que je me relève aussi. Il avait une poigne rude et sèche, mais pas désagréable.

— Tu veux voir une petite fée rousse ?

— Une petite fée rousse ?

— Disons une sorcière.

C'était intrigant, mais...

— Il faut que j'y aille.

— Bien. En ce cas, je te raccompagne.

J'ai coincé mon Sopalin roulé-boulé dans ma ceinture. Korvo m'a poussée du museau, au creux des genoux.

— Oh. J'ai quand même un peu de temps.

— Décide-toi.

— Je viens. C'est qui, cette sorcière rousse ?

Il a souri, un doigt sur la bouche, a calé la bride du fusil sur son omoplate et s'est mis à avancer avec son chien à travers champs, en me précédant de quelques bonnes foulées.

COLIN-SIX ANS

Colin-Six ans extirpa de sa poche une longue, très longue morve rouge. Il la laissa tomber à plat sur l'herbe, sans regarder, sans respirer. Il essuya vite ses paumes sur les côtés de son pantalon.

— Tiens, murmura-t-il, accroupi devant les alignements de bûches, tu vois, je t'en rapporte d'autre.

Si Mamigrand s'en apercevait, il ne lui viendrait

jamais à l'idée que c'était lui, petit Colin chéri, qui avait vidé le réfrigérateur de sa viande. Sauf si les jumelles mouchardaient, évidemment. Quelle malchance qu'elles l'aient vu avec le foie et ses mains toutes rouges. Il aurait dû fermer la porte des W.-C. ! Mais c'est qu'il avait tellement la trouille d'être fait prisonnier par les Kyytwwug !

Il se pencha en avant afin de mieux voir la petite tête pointue quand elle sortirait.

Elle ne sortit pas.

Du bout de son diabolo, Colin-Six ans poussa le foie vers la petite niche sous les bûches. En vain. Personne ne se montra, le foie demeura intact.

– T'as pas faim ? Tu manges pas ?

Il se mit à quatre pattes sur l'herbe. Le nez au niveau de la niche, il avança la main avec prudence, agita les doigts… L'intérieur était vide.

Le renard n'y était plus.

Il se pencha encore pour en être sûr. Il fronça les sourcils. Il se releva.

C'était eux, c'était un coup des sales Kyytwwug ! Ils avaient kidnappé la pauvre bête, profitant de sa blessure.

– Mais t'en fais pas ! gronda-t-il tout bas. Je vais te délivrer !

Mamigrand décrocha le téléphone :

– Bonjour… Oh, mais bien sûr. Le potager en est plein ! Combien vous en faut-il ? Nous avons aperçu celles que vous avez allumées devant chez vous. Très joli. Très… exotique. Vous venez pour notre fête, n'est-ce pas ? Mon mari compte sur vous. Et moi aussi. Il y aura toute la famille. Sauf bien sûr…

Elle fit cette mimique étrange qui lui étirait le cou, celle qui signifiait « sauf Dimitri »… Puis elle se dépêcha de conclure :

– Je vous envoie les enfants.

Elle raccrocha.

– Les Tashleen. Ils n'ont pas assez de citrouilles pour la décoration affreuse de leur fête affreuse. Hermès et les jumelles vous irez en cueillir et vous les leur apporterez. Ne prenez pas les grosses, pas question de les gâcher en vulgaires bougies ! Choisissez celles qui ne dépassent pas la taille d'un melon.

– On aura le droit de se servir de la brouette ? fit Annette.

– Pourquoi pas.

Mamigrand reprit les deux activités qu'avait

interrompues le coup de fil de nos voisins : le grais-
sage du fauteuil roulant de Papigrand, et la diffusion
des derniers événements de la Collinière à l'intention de l'oncle Gil.

— Colin, reprit-elle comme si elle ne s'était
jamais arrêtée de parler, nous a fait une crise de
somnambulisme il y a deux nuits, mais j'ai le sentiment que…

— Somnambulisme ? s'exclama Rochelle. Vous
voulez dire, il balade la nuit en dormissant ?

Papigrand leva les yeux de son magazine pour lui
offrir un sourire d'une indulgence tout amicale.
Que Rochelle lui rendit avec chaleur.

— En dormant, en effet. Le mot somnambulisme, je crois, est le même en anglais, fit Mamigrand, glaciale.

Elle essuya l'huile qui coulait de sa burette.

— … J'ai le sentiment, continua-t-elle, que la
santé de sa mère est pour quelque chose dans ces
crises.

Oncle Gil ricana. Ses sourcils rapprochés, ses
yeux très noirs, lui donnaient, et depuis toujours,
une expression légèrement diabolique.

— Tu viens de trouver ça toute seule ? Il est clair
que cette pauvre Édith ne s'est jamais remise de son…

— Les enfants, vous n'êtes pas encore partis ? s'exclama Mamigrand en se tournant vers nous. Et les citrouilles de nos voisins ?

Lorsqu'il est question d'Édith, Mamigrand a la manie de la phrase pas finie et des brusques rappels à l'ordre. J'ai commencé à quitter mon canapé, lentement, au cas où une parole intéressante se serait échappée... Mais avant que les jumelles et moi ayons pu obéir, quelqu'un frappa à la porte du salon. Fredericka Austerlitz entra.

Elle s'était maquillée, à son habitude, trop et mal, mais jamais à ce point. Le rouge à lèvres géranium débordait les coins de sa bouche, et son fond de teint pâlichon lui donnait un air de Pierrot misérable. De larges plaques roses marbraient son cou ; mais ça, ce n'était pas le maquillage, c'était l'émotion.

Elle traversa la pièce dans nos silences réunis. Elle s'arrêta devant Mamigrand. Après un bref toussotement, elle prit la parole ; sa voix chevrotait.

— Je... J'ai rangé l'armoire à musique. Et les partitions. Je voulais dire... Je ne viendrai pas faire cours cette semaine...

— Quoi ! Mais pour quelle raison, mon Dieu ? Nous étions convenues de...

Fredericka hocha la tête. Elle faisait pitié. Elle ressemblait à un oiseau englué dans une marée noire. Elle toussa encore et rattrapa le petit chien métallique qui glissait de ses cheveux.

– Je... Je dois partir demain...

Elle marmonna très vite un truc à propos d'une tante malade à Dijon. Mamigrand hocha la tête, un peu pincée, comme toujours quand les choses ne suivaient pas le cours prévu.

– Bon, très bien, dit-elle en allant ouvrir son sac.

Papigrand ne leva pas le nez de son magazine. Rochelle avait sorti une lime en carton et se biseautait les ongles. L'oncle Gil, les jumelles et moi étions les seuls à observer Fredericka Austerlitz.

Quant à elle, son regard demeurait rivé au bout de ses souliers.

Mamigrand déplia un billet de banque.

– Voici pour les deux dernières leçons.

Fredericka empocha le billet. L'eût-elle volé qu'elle n'aurait pas eu l'air de souffrir davantage. Pendant une seconde, son fond de teint vira écarlate, son rouge à lèvres cramoisi.

– Merci, dit-elle, presque inaudible.

Elle pivota en direction de la porte. La voix de

Mamigrand l'arrêta à l'instant où elle tournait la poignée.

— On vous verra, n'est-ce pas, cet après-midi? À l'anniversaire de mon mari?

Les yeux de la prof de musique glissèrent sur moi, et stoppèrent, le temps d'un éclair, comme une erreur de parcours, sur oncle Gil. Machinalement, je le regardai aussi.

Jamais je n'avais vu cette expression sur le visage d'oncle Gil. Il avait un sourire léger, pratiquement invisible et... comment dire...

Intime. Oncle Gil avait un sourire intime.

Mais Fredericka avait déjà détourné la tête. Vers Rochelle toujours à ses ongles. Puis vers Mamigrand, enfin.

— Je ne crois pas que je pourrai, dit-elle. Je dois préparer mon départ.

— Oh non! minauda Mamigrand. Vous n'allez pas nous faire ça! Nous comptons sur vous! N'est-ce pas, Henri?

Papigrand releva le front.

— Oui?... Oh, oui, bien évidemment.

Il replongea dans sa lecture.

— Nous aussi, susurra oncle Gil d'une voix de velours. Nous comptons sur vous.

À ces paroles d'oncle Gil, Mlle Austerlitz sembla littéralement clouée au sol.

— Vous voyez! triompha Mamigrand.

J'entendis une des jumelles s'esclaffer mais personne n'y fit vraiment attention. Fredericka poussa un soupir, marmonna une phrase inintelligible puis, sur un vague salut, se précipita hors de la pièce.

Oncle Gil se leva, prit un livre (je suis sûr, au hasard) sur une étagère. Il avait l'air agité. Rochelle lui lança un long regard qu'il ne vit pas.

— Quel comportement étrange! soupira Mamigrand. Il est vrai qu'elle est autrichienne…

Oncle Gil fronça les sourcils.

— Qu'est-ce que cela a à voir avec son comportement?

— Eh bien… Ils sont comme ils sont, n'est-ce pas! fit Mamigrand.

Comme elle voyait que nous ne voyions pas du tout ce qu'elle entendait par là, elle nous lança:

— Et ces citrouilles? Vous me les apportez aux Tashleen, oui ou non? Ils vont penser que les Français ne tiennent pas parole. Et soyez de retour pour le déjeuner, c'est dans une demi-heure!

Nous quittâmes aussitôt le salon. Mais quelqu'un

sortit plus rapidement encore : oncle Gil. Il avait disparu dans le vestibule.

Une fois dehors, je me mis à regarder dans toutes les directions, histoire d'apercevoir ou Mlle Auster-litz ou Gil, ou les deux ensemble... J'étais très intri-gué, d'autant que les jumelles arboraient un sourire qui méritait des claques.

Mais je ne vis que Colin-Six ans qui remontait l'allée, sale comme un peigne, jouant du diabolo avec des mains dégoûtantes. Il chantonnait des paroles sans queue ni tête.

— Toi, tu viens avec nous ! lui jeta Violette. Au boulot !

Il ouvrit la bouche pour protester, elle le vrilla d'un regard teigneux. Il baissa le sien sur ses mains (vraiment dégueu, ses mains, à Colin-Six ans !). Il leur obéit sans broncher.

Ce qui, de sa part, était plutôt étonnant.

Mais, à vrai dire, beaucoup moins étonnant que ce qui nous attendait dans le potager.

CE QUI SE PASSA APRÈS
(QU'ON EUT TROUVÉ LE MONSIEUR DANS LE POTAGER)

HERMÈS

Le dictionnaire dit que Hermès est un dieu grec, qu'il portait des sandales ailées, des cheveux bouclés, qu'il inventa la musique, l'alphabet, l'astronomie, les mesures, la gymnastique…

Je ne suis pas dans le dictionnaire, je suis un *vulgarus humanus*, je chausse au mieux des baskets à lacets dépareillés. Je n'ai vraiment rien inventé, et mon seul cheveu notable est celui qui zézaie sur ma langue. Mais, bon, je m'appelle aussi Hermès.

Maman vivait déjà sans papa lorsque, enceinte, elle décida que (pauvre moi) Hermès serait mon prénom pour la vie, en hommage à Hermes Pan (pauvre lui) ombre et double de Fred Astaire.

Je dois probablement à mon olympesque modèle d'être inventif à défaut d'inventeur. Je cultive à mon propre usage la science du minimum scolaire : l'art minutieux du 10,5 sur 20 qui m'évite tout effort, d'accord, mais aussi toute engueulade.

Hermès est, dit-on, le dieu des voyageurs. Là encore, je m'incline. Mes bouts du monde à moi se limitent à Cahouges-lès-Alleux dans le Cotentin où vivent papa et sa femme Antonella, et à Saint-Expyr (situé, disons pour simplifier, quelque part au milieu du pays) où se trouve le potager de Papigrand et de Mamigrand.

Le potager où je me tiens en cette minute même où je vous parle, avec mes trois cousins, Annette et Violette, neuf ans, et Colin-Six ans, bientôt sept, devant cet homme couché à quelques pas du carré de courges, mort.

Pendant que le carillon de l'église de Saint-Expyr sonne midi tout en bas des collines, je pense à Papigrand que j'ai vu, du haut de mon sycomore, parler tout à l'heure à ce mort... qui était vivant alors.

Je pense, très fort, à Papigrand dans son fauteuil, à l'athlète puissant qu'il fut. Je me souviens d'une fois où, pour m'expliquer une tactique de judo, il m'a immobilisé dans l'étau de ses bras, en travers de ses jambes et du fauteuil roulant. Impossible de différencier ses biceps du métal.

J'imagine – avec une facilité qui me fait froid dans le dos – Papigrand en train d'assassiner un homme.

Celui-là le faisait chanter. J'avais même entendu Papigrand le menacer.

On verra. Demain.

Aujourd'hui, c'est le 31 octobre, Papigrand fête ses soixante-dix-huit ans, tout est prêt, les tartes à la bougie, les gâteaux à la sorcière, les chandelles à la citrouille...

Papigrand ne peut pas (ne peut pas !) aller en prison le jour de son anniversaire.

Alors, quand les douze coups du clocher ont été tout entiers engloutis dans le silence de la campagne et du potager, j'ai soufflé aux petits :

— Allez, on le planque... Faut pas qu'on le trouve.

HERMÈS

Le monsieur allongé dans les courges n'était pas gros mais abominablement lourd. Tous les morts le sont, il paraît. Les filles avaient empoigné une cheville chacune, moi je tenais les poignets, et on traînait.

J'avais peur qu'il saigne, j'avais lu ça dans un roman policier. Un mort pouvait saigner ; mais celui-là, non.

Annette avait plus de difficultés que nous autres, elle s'emberlificotait les pieds, son charivari orthopédique chouinait pire que d'habitude sous son pantalon. Elle faisait son possible, la pauvre, pas sa faute si elle marche sur ressorts.

Colin-Six ans suivait, son diabolo pointé en fourche qui lui donnait des allures d'apprenti sourcier.

— Pourquoi ? demanda brusquement Violette.

D'un seul élan, elle et sa sœur laissèrent tout choir. Un soulier quitta un pied du cadavre et partit caracoler parmi les noisettes tombées, exhibant des chaussettes assorties à la veste, en laine pied-de-coq.

Une roulade de boulettes blanches jaillit de ses poches. Des Kleenex, en pointillé sur le sol. Une vraie collec.

Du bout de ma basket, avec soin, je les recouvris de feuilles mortes.

Annette secoua mon bras, de cette façon bien à elle, comme si j'étais une baratte et qu'elle fouettait du beurre. Ce qui m'obligea à lâcher les poignets du type. Les bras plongèrent dans l'allée.

— Réponds.

— Quoi ? dis-je.

— Pourquoi tu veux qu'on le cache ?

— On devrait plutôt prévenir la police.

Elles avaient raison. Mais je répondis :

— Non. Pas tout de suite.

— Pourquoi ? s'étonna Annette.

— Papigrand. Ça va lui gâcher son anniversaire.

— Tu veux dire, s'informa Colin-Six ans, qu'il y aura pas de fête si on appelle la police ?

— Ni fête, ni gâteau, mais plein d'ennuis à la place.

— J'aimerais bien si MacGyver viendrait enquêter.

Violette ricana.

— Ils vont croire que c'est nous, ouais !

— Nous quoi ?

— Qu'on a tué le mort.

— Possible.

— Sauf si c'est le lieutenant Columbo. Lui, il trouve toujours c'est qui qui a tué.

J'aperçus un petit objet en plastique blanc, tombé sur les feuilles. Un flacon de gouttes nasales. On y lisait : *Rhinirhume*. L'homme avait dit à Papigrand qu'il allait trouver de quoi se soigner. En tout cas, ça signifiait qu'il était mort après s'être procuré ces gouttes.

— Les flics vont nous poser des questions. Farfouiller partout.

— Mamigrand n'aimera pas.

Je dis, catégorique :

— On préviendra après la fête. Demain, même. Jusque-là… Silence.

— Bon, soupira Annette. Mais c'est toi qui expliqueras tout.

— Promis.

— On le met où ?

— Dans la cabane à Pinède ? Où il range les outils ? proposa Violette. Il n'est pas là aujourd'hui.

— Lui non, mais Meyer si. Il se sert des outils de Pinède.

— Alors ?

— Où qu'on le cache ? demanda Colin-Six ans.

— Là-bas. Et arrête ce diabolo débile. On va le tirer contre le mur, derrière le noisetier. Papigrand a raison, cet arbre est un bazar de nœuds, personne ne verra rien. Même pas Meyer.

Je contemplais les trois petits. Les jumelles, avec leurs tresses en tronçons de réglisse, qui se ressemblaient beaucoup, sans se ressembler vraiment ; Colin-Six ans qui se grattait le ventre, du bout du diabolo, au travers de son sweat-shirt.

— On fait une drôle de tête quand on est mort, remarqua-t-il.

— Chut.

Ça m'embarrassait qu'il prononce le mot.

– Peut-être que c'est pas drôle de mourir, murmura Annette.

Annette. Et cette manière à elle, si particulière, de parler, de nous dire ça ; avec ses yeux en pagaille derrière ses binocles en fonds de bouteille.

Et on est repartis à traîner le bonhomme.

Ses pieds raclaient le sol, surtout celui qui avait perdu le soulier. Ça formait une petite motte de feuilles et de terre à l'arrière du talon, qui freinait, et ça finit par caler tout à fait au bout d'un moment.

On n'était pas loin, à moins de quatre mètres du mur, mais les jumelles avaient peur de se salir, avec la terre et les taches de sang. Alors j'ai saisi le corps par-dessous les bras qui se sont mis à pendre comme des manches vides, et je l'ai tiré à moi seul. Mais j'ai fini par caler aussi.

J'ai envoyé Colin-Six ans chercher la brouette dans l'appentis. Il s'écoula une éternité. Comme il ne revenait pas, je courus le chercher. Je n'en crus pas mes yeux. Il s'amusait à se balancer dans un vieux berceau en bois.

– Regarde, un bateau sur la mer…

Je rugis :

– TU TE GROUILLES, OUI ?!

Il sursauta. Je l'ai extirpé rondement de son berceau à bascule. Dans le fond, traînait un vieux baigneur borgne emmailloté.

— C'est Oscar. Il était à maman quand elle était petite, m'informa Colin-Six ans en le prenant contre lui.

— J'ai dit : grouille !!

J'ai jeté l'Oscar dans son berceau en bois et j'ai traîné Colin-Six ans avec la brouette et on a rejoint les jumelles.

Enfin le mort s'y retrouva, au pied du mur. On le fit rouler dans la brouette, on aurait dit un mannequin mou, son menton sautait sur sa poitrine à chaque trou. Ensuite on le bascula, puis on l'allongea à l'abri, derrière le noisetier.

Ce noisetier, c'est la catégorie gros arbuste : quatre mètres de haut, un tas de troncs et de branches en corbeille dressés vers le ciel. Il sert aussi de tuteur à un fouillis de vieux lierre.

Annette s'adossa à l'un des troncs inclinés, Violette à un autre en face, sur un autre. La première comme un reflet étrangement brouillé de la seconde.

— On n'a pas le droit, hein ? dit enfin Violette. N'est-ce pas que c'est interdit de faire ça ?

— De faire quoi ? fit Colin-Six ans.

– De planquer quelqu'un qui est mort.

– On planque personne, dis-je, plein d'un inté-rêt subit pour la lunule de mon pouce. On attend, c'est tout. Si les Tashleen avaient pas eu besoin de citrouilles, on aurait jamais trouvé ce type.

– Est-ce… Est-ce qu'on ira en prison? me chu-chota Annette.

– Non. Suffit de se taire.

– Et Colin-Six ans? dit Violette. Il blablate grave.

– Pas vrai! s'insurgea l'incriminé. Je blablate pas grave! J'ai pas dit que c'était toi quand Hermès cherchait partout son Medievil IV!

– Tu vois! Il sait rien garder pour lui!

– Si! Je sais! pleurnicha le petit. Je raconte ça maintenant parce que tu dis que…

– Oh ça va. Jure de la boucler cette fois au sujet du monsieur mort.

– Je jure.

– «De la boucler au sujet du monsieur mort.» Répète.

– Je jure de la bou…

– Assez, coupai-je, pas la peine de l'humilier.

J'étais surtout mal à l'aise. Le petit me gratifia du regard du mousquetaire prêt à tout pour son seigneur. Les jumelles prirent leurs airs de muettes qui savent tout.

Moi, je bus ma honte et mes remords. Je poussais ces pauvres gamins à commettre un acte gravissime – dissimuler un meurtre – sous un prétexte improbable.

Nous avons coupé huit citrouilles, des petites, comme des oranges. Les filles voulaient la brouette pour les apporter jusque chez les Tashleen, mais je fus catégorique : elle était inutile, nous irions plus vite en les portant. Et puis, ça me donnait la chair de poule…

– Allez, on se dépêche, ça va être l'heure de la bouffe, Mamigrand va faire sonner Caroline.

Je vérifiai une dernière fois. De loin, le corps était invisible.

– C'est vrai ? demandai-je à Violette, une fois refermée la porte du potager sur notre sinistre secret. Tu as joué avec *mon* Medievil IV ?

MADELEINE

Ce fut d'abord un frémissement dans les hautes herbes, puis une ombre rousse serpenta le long du muret.

Blaise Rivière posa une main sur mon bras. Son autre main se referma autour de la gueule de Korvo qui comprit : « Ne pas moufter. »

Je ne mouftai ni ne respirai.

La fée rousse progressait en ondes élastiques, en reptile. Soudain, elle se dressa debout sur ses pattes de derrière, comme un périscope au-dessus du flot de sillons.

Une mignonne hermine, toute mince, étirée, d'un roux d'électricité. Dans son minois pointu ses yeux brillaient, ronds, bien noirs.

Elle ne nous voyait pas, et nous aurions pu ne jamais la voir dans sa robe terre et feuille. Seul un masque de fourrure blanche lui barrait le museau, lui donnant des allures de brigand.

Elle se mit à sauter, à plonger, à disparaître et reparaître dans les creux du champ labouré. Il me fallut deux bonnes minutes avant de comprendre que notre petite sorcière rousse s'amusait. Elle jouait avec elle-même, avec des couinements qui devaient être des rires, elle s'amusait comme une petite fille folle dans les ronds de sa corde à sauter.

À l'arrivée d'un corbeau elle détala dare-dare. *« Ce chevalier noir, on dirait un corbeau de mauvais présage. Ne craignez rien, sire, le sang bientôt l'habillera d'écarlate. »*

Pourquoi repensais-je à cette phrase d'un vieux film de cape et d'épée au doublage ridicule qui avait impressionné mes huit ans et que notre oncle Dimitri nous avait emmenés voir?

— Blaise, vous pensez, des fois, à mon oncle Dimitri?

— Ça arrive, dit-il de sa drôle de voix rauque.

Il fixa le sillon d'où l'hermine avait fui. Je pris une grande respiration et je me suis lancée:

— Vous alliez chasser ensemble, mon oncle et vous. Vous vous connaissiez depuis tout petits, vous étiez des amis. Pourquoi...

Je m'arrêtai. Parler me sembla soudainement plus périlleux qu'entrer dans le territoire des Frissons.

— Pourquoi je ne suis pas allé à son enterrement? acheva Blaise avec un calme qui sonna faux. Je l'ai déjà expliqué. J'étais absent de Saint-Expyr ce jour-là.

— Pardon... mais je n'arrive pas à vous croire.

— Je ne t'y oblige pas, dit-il.

Il libéra la gueule de Korvo et se déplia hors du buisson où nous étions à l'affût depuis une demi-heure. Il m'aida à m'extirper.

J'ai insisté:

— Ce n'est pas à cause de Rose?

Il se tourna pour me regarder. Dans ses yeux rôdait une lueur sauvage.

— Rose n'a absolument rien à voir avec ça, dit-il.

Le chien s'élança vers une buse qui venait de se poser sur un poteau de clôture. L'oiseau s'envola.

— Je peux vous demander un truc ?

Blaise glissa le pouce sous l'une de ses absurdes bretelles en élastique écossais et attendit.

— Rose est divorcée depuis des années. Pourquoi est-ce que vous... vous n'êtes pas ensemble ?

Il marqua un temps avant de relâcher la bretelle qui fit glug.

— Ce que je peux te dire, répondit-il enfin, c'est que ce n'est pas moi qui l'ai décidé.

— C'est elle alors ?

Il garda le silence.

— Mamigrand ? ai-je soufflé.

— Rose est une grande fille.

Il sourit en disant cela, mais pas d'un air convaincu.

— Vous êtes amoureux d'elle depuis vachement longtemps...

Il ouvrit la culasse de son fusil, vérifia les douilles, referma. Il murmura :

— Tu n'étais pas née.

Il siffla le chien qui revint sur ses pas. L'hermine et la buse étaient loin maintenant. Je me suis brusquement écriée :

— Vous n'allez pas la tuer, la... notre petite sorcière rousse ?

— Non.

— Et le renard ? Il aura pas droit à votre pitié, lui ?

— Je crois pas qu'il aimerait de la pitié.

— Vous savez ce que je veux dire.

Le soleil avait la blancheur dorée des midis en automne. J'élevai ma main en visière et attendis :

— Je ne tuerai pas ce renard, dit Blaise. Pas par pitié, mais parce que...

— Parce que... ?

— Il ne m'est pas antipathique.

J'ai songé à Rochelle. Elle non plus ne m'était pas antipathique. Une excellente raison de ne pas la tuer.

— Et les autres chasseurs ? Vous allez leur dire ?

— Quoi donc ?

— De ne pas le tuer non plus.

Il ôta son feutre et secoua ses cheveux à rebrousse-poil, la tête en bas. Quelques brindilles volèrent. Il rit. Comme un ricanement.

— On est en démocratie, dit-il.

— Ce n'est pas une réponse.

— Parce que j'en ai pas.

Nous avons franchi un ruisseau et repris la direction des Frissons, les marécages où la nuit semblait tomber en milieu de journée.

— Je vais reprendre mon raccourci, dis-je.

Je lui ai tendu la main. Il l'a serrée avec cette ironie en coin, celle qui protège des douleurs.

— Venez chez nous cet après-midi ! dis-je dans un élan.

— Je n'ai pas été invité.

— Ben, vous l'êtes.

Il a cessé de sourire.

— Vous aimez la tarte au potiron ? dis-je.

— Pas particulièrement.

— La tarte à la citrouille ?

— Pas davantage.

On s'est esclaffés.

— Venez quand même ! ça me fera plaisir. J'ai ajouté, plus bas : Rose sera là.

Il s'est mordillé l'intérieur de la joue, ce qui lui creusa tout un côté de la figure et lui donnait une expression presque inquiétante. Il avait le menton levé, son regard embrassait loin les collines.

— Mmh, dit-il au bout d'un moment.

Un oui, peut-être. Il fit volte-face et commença à s'éloigner. Les mains en porte-voix, j'ai crié :

— Korvo aussi est invité !

Puis, quelques secondes après :

— À cinq heures !

Lui et son chien formaient deux silhouettes qui rapetissaient vite au milieu des champs, filantes et libres.

HERMÈS

Caroline ayant énergiquement sonné le rappel, nous allions nous mettre à table.

C'est là qu'elle a débarqué. Des paquets, des sacs plein les bras, et même un gros bouquin, un roman policier je crois, coincé sous le coude. La page cornée, arrêt de sa lecture, traçait une ligne dans l'épaisseur.

Madeleine. Pour un peu je ne l'aurais pas reconnue.

Mamigrand a poussé une exclamation — un cri ? — dont je dirais qu'elle exprimait la plus totale surprise. Mais si je dois être précis, je serais vraiment infoutu de dire si c'était la joie de son arrivée, ou l'horreur pour sa coupe de cheveux.

— Madeleine ! finit-elle par articuler.

Parole qui pouvait (et devait) à la fois dire tout et rien : surprise, joie, ou réprobation... J'oublie trop souvent que le métier de Mamigrand fut de jouer la comédie.

Pour revenir à ma Madeleine, elle avait, au sens strict, une COUPE de cheveux. Pour Mamigrand, le choc devait être immense.

— Tu les as mangés ? interrogea Colin-Six ans. Tes cheveux ?

Pour ce qui me concernait, Madeleine pouvait s'amener chauve avec trois oreilles sur le front, cela ne changeait rien à mon bonheur de la voir là.

— Elle est poupée séchée...

— Poupée séchée ? répéta Rochelle, incertaine.

— Annette n'a pas dit *poupée séchée*, elle a dit *elle a coupé ses cheveux* ! précisa Violette avec impatience.

Papigrand ouvrit ses bras par-dessus les bras de son fauteuil.

— Petite Madeleine à croquer ! chuchota-t-il.

Madeleine posa paquets, bouquin, bagages et avança vers nous. Mais son regard, comme s'il était aimanté, se braqua aussitôt vers oncle Gil.

Je m'en doutais, d'accord. J'aurais même mis ma main au feu. N'empêche. Ce regard m'a rendu malade jaloux. Oncle Gil, qui ne se doute de rien, parut ravi de revoir « notre petite Madeleine à croquer ». Pareil que chaque fois. Que toutes les autres fois...

Il a sifflotté en haussant les sourcils. J'ai bien vu que Madeleine quêtait son admiration, son affection, ou autre chose, enfin n'importe quel sentiment dans ce goût-là... mais qui n'y était pas. Oncle Gil ne lui offrait que son sourire gentil de tonton.

Pendant qu'elle embrassait les petits, j'ai intercepté un truc étrange : Rochelle la regardait fixement, l'air de tomber des nues, comme devant une Martienne, ou un mille-pattes géant. Ou comme si elle la connaissait. Ce qui n'était pas possible.

– Tu as fait bon voyage ? demanda Mamigrand. Clara, un couvert supplémentaire, voulez-vous ? Mais oui, embrassez-la aussi, Clara... Madeleine, tu aurais pu annoncer ton heure d'arrivée, c'est une manie, décidément ! Quelqu'un serait venu à la gare.

Clara posa le saladier qu'elle transbahutait et serra Madeleine sur son cœur vichy sapin. Ai-je rêvé ? Madeleine, par-dessus l'épaule de Clara, jetait un regard appuyé à Rochelle... Elles se connaissaient, donc.

— Tu as grandi encore, parole ! disait Clara d'une voix émue. C'est tes cheveux, qu'est-ce que tu leur as fait, ma belle ?

— Elle joue sa Jeanne d'Arc ! fit Mamigrand avec une aigreur mal masquée.

Madeleine se présenta devant moi, c'était mon tour d'embrasser. Ou de l'être. Je fus probablement le seul à repérer que dans sa chronologie des bises, elle s'arrangeait pour qu'oncle Gil tombe dernier. Peut-être pour se donner le temps de se préparer.

Ou pour terminer sur lui, comme on termine sur le goût qu'on aime le mieux.

— Salut, lui dis-je.

Elle m'a tendu sa joue, mais je ne l'ai pas embrassée. Je lui ai tendu la main. C'est bête, je sais, mais elle m'énervait déjà.

— Vous vous boudez ? s'amusa oncle Gil.

Elle lui lança un regard qu'elle voulut désapprobateur, je fus sans doute le seul à le trouver douloureux.

— Va te rafraîchir et te laver les mains, dit Mamigrand. Tu passeras à table ensuite.

Je voulus empoigner le plus gros bagage de

Madeleine et le lui monter, mais d'un geste, aussi discret que péremptoire, Mamigrand m'arrêta.

Clara savait ce que cela signifiait : c'était son travail. Elle tendit la main... Mais Madeleine la devança promptement, elle souleva le sac sans regarder Mamigrand qui fronça un sourcil.

— À tout de suite ! dit-elle.

Sitôt que Madeleine eut disparu dans les hauteurs, Mamigrand piqua, d'un coup sec, une feuille d'endive de son assiette.

— Qu'est-ce qu'elle a fabriqué avec ses cheveux ? grogna-t-elle. On dirait une collabo.

— Ne dis pas ça, c'est ignoble ! s'écria oncle Gil. Je la trouve très bien.

— Moi aussi, dis-je par pure loyauté parce que, en fin de compte, j'étais exaspéré que ces retrouvailles soient une déception.

J'entendis pouffer ces imbéciles de jumelles en même temps que je me sentais rougir et devenir furieux.

— C'est égal, reprit Mamigrand dans un soupir et en piochant un cornichon lorsque Clara revint servir le rôti froid. Je suis contente qu'il y ait une personne de plus pour venir au cimetière tout à l'heure.

– Cimetière ? fit Papigrand. Mais la Toussaint, ce n'est que demain.

– Sans doute. Mais nous sommes jeudi.

Oncle Dimitri est mort un jeudi. Tous les jeudis, depuis le mois d'avril, Mamigrand descend au cimetière déposer des fleurs sur sa tombe. Le plus souvent, elle y va seule.

– Profitons d'être réunis pour nous recueillir tous ensemble, dit-elle croquant dans son cornichon, les yeux baissés.

Une ritournelle voleta dans l'air.

– *Sorry,* fit Rochelle en fouillant dans sa poche.

Elle attrapa son téléphone portable.

– *Yes ? Oh, baby ! That's you...*

Mamigrand serra les paupières et les lèvres, comme si le cornichon lui donnait le vertige, ou la nausée.

HERMÈS

Le repas terminé, Madeleine eut l'autorisation de remonter dans sa chambre pour ranger ses affaires.

— Rejoins-nous dès que tu as fini, lui dit Mami-grand, nous n'aurons pas trop de bras ! Les enfants, continua-t-elle à l'intention de ceux qui restaient (moi notamment), commençons à sortir les chaises et les tables !

Mais après quelques minutes de remue-ménage symbolique, je réussis à m'éclipser.

Je me faufilai fissa au deuxième étage, où se trouvent les quatre chambres d'invités. Madeleine prend toujours celle du fond, avec les tapisseries rouges.

Sa porte était ouverte.

— Je peux t'aider ? lui lançai-je depuis le seuil.

Si mon irruption l'étonna, elle ne le montra pas. Elle ne se retourna même pas.

— Depuis quand les garçons rangeraient-ils les armoires des filles ?

— Elles rangent bien les armoires des garçons.

Elle coula un regard dans ma direction, plissant le front, l'air de ne pas comprendre.

— Il arrive que ma mère range mes affaires, expliquai-je.

Un genre de conversation qui ne mène nulle part. J'ai bifurqué sur un thème classique :

— T'as fait bon voyage ?

— Hmm.

— À quelle heure es-tu arrivée ? J'arrive pas à comprendre le train que tu as pris.

— N'essaie pas, jeta-t-elle.

— Oh bon. C'était histoire de parler.

Elle se tourna pour me faire face :

— Qui t'a dit que j'avais envie de parler ?

Je me trouvais plutôt patient.

Je suis entré tout à fait dans la chambre. Elle avait expulsé un tiroir hors de la commode, l'avait posé sur le lit. Et, dedans, plié, aligné, je pouvais voir son petit linge qu'elle rangeait, ses culottes blanches, bleues, roses, à rayures, et des soutiens-gorge, des blancs, des roses, à rayures. Pas franchement bombes si vous voulez mon avis.

Elle a soulevé le tiroir et l'a recasé dans la commode.

— Pourquoi tu déballes toutes tes affaires ? dis-je. Puisque tu es là que trois jours.

— Si tu ne sais que poser des questions idiotes, tu ferais mieux de redescendre.

— Je demandais ça parce que...

Elle prit un cintre, l'air pas du tout intéressé.

— Pourquoi tu restes pas plus ? dis-je très vite. Tu vas t'emmerder en Allemagne.

– En Allemagne, il y a ma mère et mon père. Je ne les ai pas vus depuis les grandes vacances.

– J'ai pas vu la mienne depuis septembre.

Tout en giflant un tee-shirt pour le défroisser, Madeleine soupira :

– C'est de famille, je suppose.

Il s'écoula un petit temps de silence.

– T'es bien avec tes cheveux comme ça, dis-je.

– Te fatigue pas.

– Si, je t'assure.

Quelque chose fila sur sa figure. Trop rapide pour que je comprenne ce que c'était.

Enfin, je me suis décidé à lui dire ce pour quoi j'étais monté :

– Il faut que je te parle, Mado. Un truc hyper-important.

– Écoute, Hermès... Je suis occupée, tu vois bien. Et puis, franchement, j'ai pas le cœur à bavarder. Plus tard, d'accord ?

Elle a continué ses pliages, ses défroissages et ses rangements, inclinée au-dessus des bagages, par-dessus le lit.

Je n'avais encore jamais remarqué combien ses narines étaient petites, toutes pressées contre le début de ses joues. C'était joli.

Je peux — pensais-je — la serrer très fort dans mes bras, l'embrasser, l'embrasser même si elle ne le veut pas. Elle a quinze ans, j'en ai treize et demi mais je suis plus grand, plus fort qu'elle.

C'était vraiment une pensée moche.

— Bon, soupirai-je. Tout à l'heure, alors. Au fait, dans le programme des réjouissances, on a promenade au cimetière.

Elle fit un bruit fataliste avec ses lèvres. Avec ses cheveux en moins, on la voyait mieux. Et je lui trouvais tout mieux.

J'ai reculé vers la porte. Elle a relevé la tête, brièvement, avant de continuer avec ses cintres, ses jupes et ses affaires.

— Dis… Ce truc dont tu veux me parler, reprit-elle d'une voix plus gentille, c'est pas trop grave quand même ? Ça peut attendre ?

J'ai songé : un homme est étendu raide mort derrière le noisetier avec son polo plein de sang, il a été tué, probablement par Papigrand, probablement parce qu'il le faisait chanter à propos de je ne sais quoi, mais non ce n'est pas grave du tout…

— Ça attendra, dis-je tout bas.

À l'instant de sortir, je l'ai regardée par-dessus mon épaule.

— Cette Rochelle... Tu la connais ?

À nouveau, une lueur traversa son visage... qui se ferma aussitôt.

— Pas du tout, répondit-elle du ton le plus tranquille. Pourquoi ? Je devrais ?

Madeleine ignore qu'elle a le regard le plus brillant du monde quand elle ment.

— Il est nouveau ? dis-je en désignant son *twin-set*.

Elle rit. Comme pour une plaisanterie adressée à elle seule.

— Tu le trouves joli ? demanda-t-elle.

— Mm. Mais tu devrais retirer l'étiquette, elle pendouille dans ton dos.

Ed McBain vola droit sur moi avec la nette intention de me décapiter. Mais j'étais déjà sorti.

MADELEINE

Il était temps qu'il sorte, j'allais exploser. Il est bien gentil le cousin, mais je me fous complètement de ses histoires. Je me fous aussi d'oncle Gil. Et de sa top model. Je me fous de tout. Je n'ai envie que d'une chose, m'allonger sur ce lit, fourrer ma tête de bonze tibétain sous l'oreiller, et dormir.

HERMÈS

Je descendis un étage. Un seul.

Ce que j'aime à la Collinière (et qui me fichait la trouille lorsque j'étais petit), c'est que c'est une grande baraque pleine de couloirs à virages, de coins à portes basses, de renfoncements avec des bouts d'escaliers et des niches devenus placards ou cagibis.

Je m'arrêtai au premier, donc.

Je m'arrêtai longtemps, et longtemps je restai sans bouger, à écouter les bruits qui venaient d'en bas et du jardin. Je me mis à marcher à reculons, sur toute la longueur tordue du couloir qui mène aux chambres.

Si l'on m'avait interrogé sur les raisons qui me poussèrent à pénétrer clandestinement dans celle de mes grands-parents, j'aurais eu du mal à m'expliquer avec clarté.

Peut-être le fait d'avoir surpris Papigrand en

compagnie d'un homme qui était devenu un mort, était-il un motif puissant d'intuition…

Allais-je y trouver un pan caché de la vie de mon grand-père? Découvrir quelque chose sur cet inconnu qui reposait dans le potager?

Je n'entre quasiment jamais dans la chambre de mes grands-parents. Et uniquement sur invitation de Mamigrand; par exemple quand il faut y transporter ou prendre quelque objet ou meuble.

Il n'y a aucune interdiction, bien sûr. Mais tous nous avons le pressentiment d'un territoire.

En fait je n'y étais pas entré depuis la mort de Dimitri. Le souvenir était encore vif. Le matin de l'enterrement, j'étais allé y chercher ma mère qui était en train d'y réconforter la sienne. J'en gardais l'image de deux femmes en noir qui pleuraient dans le cou l'une de l'autre.

C'est une très grande chambre, avec d'épaisses poutres foncées et vernies qui semblent abaisser le plafond. Le papier peint est à fines rayures vert amande, beiges et bleues. Ce papier existe depuis que j'existe, du moins c'est l'impression que j'en ai.

Jusqu'à aujourd'hui, le fait qu'il y ait deux lits ne m'avait jamais semblé étrange. Eux aussi existent depuis que j'existe.

Pourtant, quand j'entrai cette fois-ci, ces deux lits furent un choc. Le fait même de les avoir vus ici depuis *toujours* m'apparaissait comme la révélation brutale d'une séparation, d'un apartheid intime, d'un renoncement.

Jusqu'à cet instant, Mamigrand et Papigrand avaient été mes grands-parents, un binôme.

Est-ce parce que j'avais vu Papigrand parler à cet homme de choses qu'à l'évidence Mamigrand ne soupçonnait pas, j'avais tout à coup conscience qu'ils vivaient, chacun de son côté, une vie distincte ?

Ces deux lits, éloignés, séparés par deux chevets et une poutre transversale, en devenaient les symboles.

Je détournai les yeux, embarrassé. J'avais l'impression de découvrir le lieu pour la première fois.

Les meubles étaient nombreux, disposés avec plus ou moins d'allure, mais c'était le charme de cette pièce : son abondance d'objets.

Il y avait des meubles qui n'existent plus, ou dont les noms ont changé. Que Mamigrand appelle *maie, chiffonnier, bonnetière, semainier*, mais moi je n'y vois qu'un coffre, une commode, un bidule à tiroirs…

Il y avait aussi les photos.

Accrochées au mur, leur somptueux noir et blanc protégé par un cadre doré, elles montraient une Mamigrand très jeune et magnifiquement belle, au temps où elle disait qu'elle aurait pu être vedette à Hollywood si elle n'était pas tombée amoureuse d'Henri... c'est-à-dire de Papigrand.

« Mes Harcourt », les appelait-elle avec fierté. Mais il y en avait également de photographes très célèbres, Richard Avedon, Cecil Beaton, et d'autres, j'ai oublié qui. J'avoue que j'aurais du mal à imaginer ma grand-mère sous les traits d'une star si ces photos n'existaient pas.

Il y en avait aussi dans un vieil album en tissu bronze. Où on la voyait danser à un bal avec Fred Astaire. Ou partager un éclat de rire avec Robert Ryan (« Le plus bel homme sur terre après votre grand-père. Un gauchiste, quel dommage ! » « Et là, ce chignon derrière Dick Powell, c'est moi. »)

Mon œil balaya la coiffeuse au marbre couvert de fioles, boîtes, flacons. Mamigrand avait glissé sous le bord du miroir ovale tout un tas de petites photos. Celles-là, je les connaissais bien, elles représentaient notre famille.

On y voyait maman, ma tante Édith, mes oncles Gil et Dimitri quand ils avaient trois, puis six, puis dix ans. Il y avait aussi Paule, la cousine de Mamigrand et grand-mère de Madeleine, et Geneviève sa mère en compagnie de son père ; et puis Colin-Six mois, Colin-Deux ans, Colin-Quatre ans, et moi au collège, et les jumelles…

Il n'y avait aucune photo de Papigrand.

Cela ne m'avait pas frappé les fois où j'étais entré dans cette chambre auparavant. Mais ça m'explosait en pleine figure maintenant : Papigrand n'y était pas.

En fait, rien, hormis le second lit, ne trahissait son existence.

Mon regard s'arrêta soudain sur un cliché récent, aux dimensions inhabituelles. Je ne l'avais jamais vu.

C'était oncle Dimitri en pied. Il souriait, son bras arrondi comme s'il encerclait quelqu'un par la taille. On distinguait un bout de robe rouge gonflé par le vent qui se plaquait contre le pantalon de l'oncle Dimitri, ainsi qu'une moitié de mollet féminin.

Mais pas de visage. Quelqu'un avait découpé la dame enlacée par oncle Dimitri.

VENT ET BRUYÈRE

Le vent se levait. La nappe blanche se gonfla tel un parachute, puis retomba mollement sur la table, un peu de travers.

— On recommence ! dit Annette en riant.

— Mais où est passé Hermès ? demanda Mamigrand. Je l'ai vu nous aider trois minutes et pffuit il a disparu.

Les jumelles firent à nouveau rebondir la nappe sur la table. Violette ouvrit la bouche pour dire qu'elle avait vu son cousin monter chez Madeleine. Ce n'était pas pour le dénoncer véritablement, plutôt pour voir la tronche que ne manquerait pas de faire Mamigrand.

Mais Violette n'eut pas le temps. Mamigrand s'était déjà désintéressée de sa question car Meyer traversait la pelouse, croulant sous des brassées de fleurs.

— Merci à vous, Meyer ! s'écria Mamigrand. Mettez la bruyère à part, voulez-vous ? On l'emmènera tout à l'heure. Les autres fleurs, taillez-les et mettez-les dans des pique-fleurs. Colin, Violette, allez chercher les coupes…

— Et moi ? demanda Annette. J'y vais aussi ?

Mamigrand la fixa un instant. Elle n'avait guère envie que cette petite éclopée lui brise trois coupes (du cristal !) tous les dix pas. Pour ne pas la vexer, elle lui conseilla, un peu légèrement :

— Toi, va aider Meyer à disposer les bouquets dans les pique-fleurs.

Annette comprit que sa grand-mère lui disait n'importe quoi, mais elle ne répliqua rien. Sa sœur vint à sa rescousse :

— Mais c'est bien plus difficile pour Annette de piquer les tiges une par une, que d'aller chercher les coupes dans le placard.

Du regard, Mme Coudrier chercha de l'aide du côté de Meyer. Mais le jeune homme triait ses brassées, l'air absorbé par sa tâche. Elle soupira.

— Bien. D'accord pour les coupes. Mais attention, elles sont en cristal.

Meyer sortit un sécateur de sa veste de jardin et commença à couper les tiges. Mme Coudrier contempla la bruyère qu'il avait rassemblée sur un coin de la pelouse.

— C'est pour la tombe de mon fils, murmura-t-elle.

Son visage se tendit, son cou fit de drôle de pliures, comme si on avait tiré la peau avec des fils invisibles. Assis sous une des tables installées pour la fête, Colin-Six ans la dévisageait, fasciné. Chaque fois qu'elle évoquait oncle Dimitri, elle montrait cette expression étrange. Colin-Six ans se demandait souvent si c'était par envie de pleurer. Ou d'engueuler tout le monde.

— Dimitri adorait la bruyère, ajouta-t-elle.

Sans cesser de tailler ses tiges, Meyer se retourna. On entendait des pas qui remontaient l'allée centrale.

Les jumelles qui revenaient avec Clara et les coupes en cristal se mirent à pousser des cris réjouis en apercevant Mrs Tashleen, la voisine américaine.

En fait, ce qui les ravit surtout, ce fut la vue des citrouilles, une grande, cinq petites, que Mrs Tashleen déballa d'un sac sur l'herbe.

— Vous nous les rendez ? s'étonna Mamigrand.

— Oh non, pas vraiment, répondit Mrs Tashleen. Je les ai creusées, découpées, il ne reste plus qu'à mettre une bougie à l'intérieur... Mettons que je vous les prête le temps de cette fête. Ce soir, je les reprendrai. Elles brûleront cette nuit sur notre perron.

— N'est-ce pas un peu compliqué ? fit Mamigrand en faisant un geste pour que Clara l'aide à déplacer des chaises. Je veux dire, ce chassé-croisé de potirons ?

— J'ai pensé que ça ferait de l'éclairage supplémentaire. Regardez, je vous ai apporté ma célèbre tarte au pain d'épices !

Elle aida Mamigrand à accrocher les pincenappe. Quelques feuilles mortes étaient éparpillées sur les nappes blanches. Mrs Tashleen les fit s'envoler d'une pichenette.

— Le vent se lève, dit-elle. Les feuilles tombent, c'est vraiment un temps d'Halloween.

Clara se frotta les bras comme si elle frissonnait.

— Mon mari, dit Mamigrand en disposant les sous-verre, a eu son accident un jour comme celui-ci. Il faisait très beau, puis vers quatre heures la tempête s'est levée… Depuis, je n'aime pas beaucoup le vent.

Mrs Tashleen fit une grimace qui retroussa son nez. Généralement on trouvait cela charmant jusqu'à ce qu'on s'aperçoive qu'il s'agissait d'un tic.

— N'y pensez plus, dit-elle.

— J'y pense, hélas. Chaque jour. Je me dis que si je n'avais pas été au volant, mon mari serait peut-être…

Les petits se gardaient bien d'avoir l'air d'écouter… mais ils n'en perdaient pas une miette.

Ces paroles revenaient périodiquement dans la conversation de Mamigrand. C'était invariablement lié à l'accident, quelque chose qui s'était passé il y avait longtemps, bien avant leur naissance, mais jamais leur grand-mère ne paraissait aussi humaine que dans ces instants-là... C'était comme un rite. Quand Mamigrand prononçait ces phrases : *« J'y pense chaque jour. Si je n'avais pas conduit, peut-être que mon mari... »* il se passait alors tout le temps les mêmes choses, les mêmes gestes : Clara posait une main discrète sur le bras de Mamigrand. Mamigrand remontait une mèche (invisible) sur son front. Puis elle resserrait son col comme si elle avait froid.

Et cette fois fut exactement comme les autres fois. Annette, Violette, Colin-Six ans observèrent, fascinés par cette immuabilité des êtres et des paroles.

— Oh non, ma pauvre chérie ! s'écria Mrs Tashleen en lâchant les bougies qu'elle sortait de son sac. Non, non, non... ce n'est pas votre faute ! Il faut vous convaincre de ça, il le faut absolument !

Elle prit Mamigrand dans ses bras. Mme Coudrier n'y demeura qu'un dixième de seconde. Elle détestait les effusions.

— Je sais, dit-elle en repoussant Mrs Tashleen. Je le sais bien.

Elle se tourna vers Clara :

— Peut-être devrait-on allumer les deux cheminées du salon ? Il risque de faire froid d'ici ce soir.

Meyer, qui était parti jeter les pointes coupées des fleurs, revenait avec de l'eau pour les bouquets.

— Quand est-ce qu'on va au cimetière ? demanda alors Colin-Six ans.

— Incessamment, dit sa grand-mère d'une voix redevenue normale. Mais que fait Hermès ? Et Madeleine ? Courez les chercher. On ne peut pas aller là-bas sans eux !

LA MAISON DANS L'OMBRE

Le vent souffle. J'ai toujours eu peur du vent, même quand j'étais petite, maman se moquait de moi alors, et papa était le seul à me prendre au sérieux. « Laissez ma petite Édith tranquille, disait-il. Laissez ma petite Édith. »

J'ai peur que cette nuit *il* revienne. J'ai bien vu que l'infirmière ne me croyait pas ce matin, pourtant je ne suis pas folle ! Je ne suis pas folle ! Je ne suis pas folle ! Je ne suis pas folle ! Je ne suis pas folle ! Un inconnu est venu dans ma chambre ! Je ne sais pas comment cet homme a réussi à entrer, maman ferme pourtant la porte tous les soirs, ou Clara, ou Mme Folenfant. Comment est-il entré ? Comment ? Comment ? Comment ? Et pourquoi est-il resté debout devant ma fenêtre, en silence, à respirer fort, à seulement respirer comme s'il ne voulait que me faire peur ? Ce soir, je ne veux pas dormir ici, je ne veux pas dormir seule, je le dirai à Mme Folenfant, c'est une bonne infirmière malgré tout, même si j'ai bien vu ce matin qu'elle ne croyait pas ce que je lui racontais. Je les vois, là-bas, en ce moment, de ma fenêtre. La voisine américaine est arrivée avec des potirons. Je crois qu'elle va mettre des bougies à l'intérieur, une coutume des Américains, ça me rappelle un film que j'ai vu, adolescente, qui m'avait terrifiée, je m'étais réfugiée dans les bras de mon grand frère, mais il se moquait de moi, Dimitri se moque toujours de moi... Il se moquait. Dimitri est mort. Je ne sais pas exactement quand. J'étais déjà malade. Maman et Gil, et Rose et aussi Clara me l'ont caché très longtemps. Et puis ensuite j'ai pris des cachets. Non, ce n'est pas à ce moment-là, les cachets. C'était avant. Quand Dimitri, mon grand frère Dimitri, a voulu que je *le* tue. Mais je ne l'ai pas fait, je ne l'ai pas tué, je ne l'ai pas tué ! Je ne l'ai pas tué ! Je ne l'ai pas tué! Ce film, qui parlait de croque-mitaine, se passait le jour d'Halloween, le 31 octobre, l'anniversaire de papa, c'est aujourd'hui. Je n'ai pas de cadeau, je ne veux pas lui faire de cadeau, je ne veux pas lui rappeler qu'il a une fille folle! Non je ne suis pas folle! Mais les autres le croient! Tous! Ils le disent! Je ne veux pas l'embarrasser! Mais... Mais je vais lui faire un cadeau tout de même! Ah! Ah! Maman ne va pas apprécier! Mais alors pas du tout! Eh bien tant pis... Je vais aller chercher ce cadeau! Non, ça ne *lui* rendra pas la vie! Je l'ai tué! C'est moi qui l'ai tué! Et on ne peut rien y changer! Parfois je repense à cette boîte à musique que m'a offerte Dimitri quand j'avais sept ans. Il m'avait fait croire qu'en remontant la clef, je remontais le cours du Temps. Je le croyais. J'étais une enfant bête...

Le vent s'est levé. Attention. Mais je dois sortir, je dois aller dehors si je veux chercher... J'irai tout à l'heure... Je passerai par la fenêtre derrière. Le vent souffle. J'ai toujours eu peur du vent, même quand j'étais petite, maman se moquait de moi alors, papa était le seul à me prendre au sérieux. «Laissez ma petite Édith tranquille, disait-il. Laissez ma petite Édith... »

HERMÈS

Mamigrand posa deux paniers de bruyère au pied de la tombe de Dimitri.

J'ai machinalement regardé les deux dates gravées dans la pierre.

Oncle Dimitri aurait eu quarante-trois ans. Je n'y avais jamais pensé. Je trouve que c'est vieux. Mais, pour mourir, c'est jeune.

— Nous sommes tous là, aujourd'hui, Dimitri, dit Mamigrand à voix haute, les doigts croisés sur la boutonnière de son manteau. Nous sommes passés te dire un petit bonjour...

Sa voix était ferme, ses paupières mi-closes. En effet, nous étions là, Mamigrand, Papigrand, oncle Gil, Madeleine, Violette, Annette, Colin-Six ans, Clara, Mrs Tashleen, et deux personnes qui ne le connaissaient même pas, Rochelle et Meyer. Nous formions autour de la tombe un arc de cercle irrégulier...

Nous sommes là. Tous.

Sauf Édith qui est malade, là-bas, dans la maison au fond du parc. Et sauf...

— ... sauf Rose, continuait Mamigrand, s'adressant à son fils mort comme s'il était vivant en face d'elle et nous. Mais elle viendra plus tard, Dimitri, tu connais ta sœur, tu sais qu'elle n'en fait qu'à sa tête...

Tout le monde aimait Dimitri. Je me rappelle, au mois d'avril dernier, l'instant où maman a raccroché le téléphone, ses yeux devenus immenses, quand elle a dit : «Dimitri est mort, il s'est noyé», d'une voix que je ne voudrais jamais plus entendre, et quand elle s'est abattue en sanglotant sur mon épaule.

Oncle Dimitri était... disons l'anti-oncle Gil. Il était plus rond, moins grand, moins beau que lui, il n'avait pas une cohorte de jolies filles pendues à ses basques. Mais il était doux, généreux, aimable, il pouvait passer un temps fou à écouter les histoires des gens, au marché, à la foire, chez les commerçants, à la chasse, à la poste. Il n'avait que des amis à Saint-Expyr et dans les villages des alentours.

Il avait soutenu les Heurtebise quand il était question du projet d'assèchement des Frissons qui aurait ruiné leur ferme. Il avait gagné, le projet était en attente.

Il accompagnait et aidait Mollenard le vétérinaire des sept villages les plus proches, quand il était débordé par les naissances d'animaux. Mollenard lui-même répétait :

« Y en a plus beaucoup, des châtelains, qui savent encore mettre le bras dans le cul des vaches ! »

Et quand j'étais petit, aux vacances, avec Madeleine et Mamigrand, il nous emmenait au Majestic Ciné de Dargelos. Quand c'était une vieille comédie musicale, Mamigrand sortait en reniflant un petit peu, alors il nous offrait à tous les trois une glace.

Tout le monde l'aimait, oui. Et au début qu'il n'était plus là, je me disais : « Merde, mais où il est passé ? Pourquoi on le voit plus ? »

Je ne parvenais pas à faire le lien entre lui, sa bonne bouille ronde, son début de bedaine, et cette pierre en marbre noir toute plate au cimetière de Saint-Expyr.

Un coup de fusil éclata dans les champs, derrière les ifs et les cyprès, puis un autre. On aurait dit les claquements d'un drap mouillé. Immédiatement après, un if se déchira sur un vol noir de corbeaux au-dessus de nos têtes.

Mamigrand arrangea une dernière fois les branches de bruyère sur la tombe, puis se redressa en serrant son mouchoir.

MADELEINE

Ayant apporté les nuages et une chute de la température, le vent tomba aussi soudainement qu'il s'était levé, satisfait. Les invités arrivèrent autour de quatre heures et demie, le jour déclinait déjà. Une demi-heure plus tard, la nuit était là. On avait ouvert les portes-fenêtres afin que les invités puissent aller et venir entre le jardin et le rez-de-chaussée de la maison.

— Ravissants, ces lumignons! s'écria quelqu'un.

— Des potimarrons et des potirons. Original, n'est-ce pas? À l'américaine. Une idée de Mrs Tashleen. À propos, j'ai acheté des miniatures indiennes...

(Ceci pour expliquer cela : M. Tashleen est bengali.)

Mamigrand, elle, avait attrapé le don d'ubiquité. Elle était à la fois dans le salon pour accueillir les Brogden, dans la cuisine à disposer les petits fours, et sous la tonnelle à raconter les malheurs de son foie au Dr Regain.

— Tu mangeras bien un de ces lacets noirs et collants? fit une voix près de mon oreille.

J'ai poussé un cri joyeux.

— Valentine!

— Je crois que c'est de la réglisse. Tu es déjà arrivée ? Je croyais ton bahut en zone B ?

J'ai posé une main apaisante sur l'omoplate de Valentine, tout en vérifiant autour de moi.

— Oublie la zone B, chuchotai-je. Comment vas-tu ?

Valentine est la fille du notaire. On était en primaire ensemble, quand j'habitais à Dargelos avec mes parents, c'est-à-dire avant l'Allemagne pour eux, avant l'internat pour moi.

— Je te fais un résumé tutti frutti ? J'ai eu un petit frère, deux chiens, une appendicite…

Elle ajouta plus bas avec un sourire :

— … et un copain. Et toi ?

Mais avant ma réponse qui se devait d'être drôle et irisée, elle enchaîna :

— Mais dis, qu'est-ce que tu as de changé ? Tu as bien un truc de changé ?

J'ai mâchouillé une olive.

— J'ai appris le souahéli, ça se voit donc ?

Une ombre apparut entre les arbres.

— Tu permets ? dis-je à Valentine, je vais accueillir mon invité.

Je me suis élancée à la rencontre de Blaise et de son chien. Quand il entra dans le rayon d'action des lampions et des lumières, il marqua un arrêt, comme s'il était intimidé.

Mamigrand ne pouvait pas le voir et Papigrand bavardait avec ses amis du cercle d'échecs.

— Bonsoir! dis-je. J'avais peur que vous ayez oublié de venir. Ou plus envie.

Son regard glissa au-dessus des têtes, pour un bref panorama de la fête. Il s'était fait beau, avait troqué sa tenue marécage pour une veste en laine rouille, une chemise blanche et un jean propre. Il était rasé et sentait bon.

— Rose n'est pas encore là, dis-je, sachant ce que ses yeux désiraient. Tout le monde commence à se demander pourquoi d'ailleurs, elle aurait dû arriver à l'heure de Marignan.

Un plateau de petits fours flotta près de mon épaule. Au bout, il y avait Hermès.

— Une bouchée à la châtaigne? glissa-t-il.

— Merci, non.

— Une tartelette au sucre?

— Non!

Il s'éloigna non sans avoir lancé un regard d'une sombre imprécision à Blaise Rivière. Je suis sûre que ses petits fours étaient un prétexte.

Blaise a esquissé une petite grimace.

— Ton cousin ne m'aime pas.

— Vous allez lui piquer sa mère. C'est psycho-automatique.

— Tu me parais bien sûre de toi.

Il a souri. D'un sourire séduisant, un peu triste, avec un rayonnement de rides toutes fines, nombreuses mais troublantes, sur le haut des pommettes. Puis il a sifflé Korvo.

— J'aperçois notre ami vétérinaire, dit-il.

Ils s'approcha des invités avec son chien. Jusque-là nous étions restés en bordure de fête. J'ai vu Mami-grand lever la tête et battre des cils quand enfin elle l'aperçut.

À mon tour, je me suis promenée autour des tables et des lampions. C'était joli ces nappes blanches, ces lanternes jaunes, rouges, orange… J'ai regardé autour de moi, à la recherche de quelqu'un, tout en me demandant qui je voulais tellement voir…

Je l'ai su quand mes yeux ont trouvé oncle Gil. Il se tenait sous un tilleul avec Rochelle et Barrière, un conseiller municipal.

J'ai attrapé une coupe de champagne et l'ai bue d'un trait.

Mes paupières ont piqué.

HERMÈS

J'aimerais détester Blaise Rivière. Je n'y arrive pas. Je ne lui trouve pas de défaut majeur sinon celui d'être amoureux de ma mère. Mais ce soir je hais ses façons. Je hais qu'il se soit mis sur son trente et un, qu'il se soit parfumé d'after-truc... Pouah ! Et son œil à l'affût qui guette, en bon chasseur qu'il est, l'arrivée de ma mère.

Ma mère est attirante, et je ne lui nie pas le droit d'avoir des... amis, mettons. Mais j'ai toujours eu la sensation que, pour elle, la danse et son fils l'emporteraient toujours sur tout.

Avec Blaise, je perds cette rassurante impression. Ma mère ne m'a jamais rien dit à son sujet, et c'est bien ce qui m'intrigue et qui me tarabuste.

Parfois, je me dis qu'elle l'a peut-être aimé avant papa. Ou plus que lui. Une hypothèse qui me donne envie de mordre.

Elle a eu beau, tout ce temps, le repousser, l'éviter, essayer d'oublier que ce type ne veut qu'elle, je crains qu'il ait toujours une place particulière dans sa vie. Donc, dans la mienne.

Et ça m'énerve que ma mère ne me le dise pas clairement.

Je suis certain qu'ils ont couché ensemble. Et que ça doit arriver encore, mais le mystère reste total sur leurs stratégies de rencontres, puisque nous habitons à Paris et lui à Saint-Expyr.

Les week-ends? Les vacances où je vais chez papa?

Une carte, un jour, est tombée d'une veste de maman. *Auberge Bonaparte*, dans l'île d'Aix. J'ai vérifié dans le dico. L'île d'Aix, c'est en plein Atlantique.

— C'est où, l'île d'Aix? ai-je demandé, en tapinois, à maman quelques semaines plus tard.

— À côté d'Oléron. Il y a des roses trémières et Napoléon y a séjourné. Pourquoi?

Que de précisions!

— Comme ça. Tu connais?

Silence.

— Tu connais? redis-je.

— Pas du tout. Mais c'est joli, il paraît.

Elle se trouvait dans la cuisine. Moi, dans ma chambre. J'ai entendu un couvercle qui tombait.

Au fond, je n'ai rien à reprocher à Blaise Rivière. Je me sens simplement un devoir de loyauté envers notre vie passée et envers papa.

Je pensais à tout ça tandis que je circulais avec

mon plateau de petits fours (sur ordre de Mamigrand).

— Hum, fit Mme Auderchet du Club régional
des amateurs de gelées et confitures dont Mamigrand était un membre actif, je mangerais volontiers
un feuilleté... s'il en restait !

— Oh ! Pardon...

Mon plateau était vide ! Depuis combien de
temps me baladais-je avec ?

— Cours te ravitailler, mon garçon, d'autant que
voilà de nouveaux invités qui débarquent !

J'ai distraitement jeté un œil du côté de la pétarade de moteur qui montait de l'allée. Je me suis
arrêté net de marcher.

La voiture était une décapotable. Le type qui
conduisait, je ne le connaissais pas. Mais la silhouette
debout qui faisait des saluts avec la main, c'était ma
mère.

À côté de moi, un pas a foulé la pelouse en
silence... Blaise. Lui aussi l'avait reconnue.

J'ai couru, je voulais absolument le devancer,
l'avoir avec moi avant lui, et mes semelles ont fait
une glissade de poussière sur le gravier, dans les
phares de la voiture. Je me suis jeté dans les bras de
maman et on s'est embrassés longtemps, et elle me

caressait les cheveux, le front et la nuque, et je reconnaissais son parfum.

– Mon grand, mon grand ! répétait-elle.

Quand elle me fit reculer pour m'examiner, elle a éclaté de rire :

– Mais c'est vrai que tu es grand ! En deux mois, tu as pris quarante douze centimètres au moins !

Elle portait une espèce de tee-shirt au crochet, une mini-jupe en grosse toile. Mais le plus inattendu, c'était son piercing sur sa lèvre du haut et la teinte orange sanguine de ses cheveux.

– Tu me présentes ? lui a dit le type dans la voiture.

– Mon fils, Hermès. Julien Arbogast. J'ai raté Marignan parce que j'ai acheté le journal et… voilà. Julien m'a proposé de me conduire. Il passait par Dargelos.

C'était une bagnole de m'as-tu-vu, chromée, bleu pétard, scintillante. Moche. Le dénommé Arbogast aussi était moche. C'est-à-dire, je ne sais pas s'il était beau ou pas, mais ce qui passait dans ses yeux quand il regardait maman était vraiment moche. J'ai tout de suite eu envie de lui écraser mon poing sur la figure.

– Merci, dis-je en lui tendant une main ferme et définitive. Merci d'avoir accompagné ma mère.

— Hermès! s'exclama maman. Tu n'es pas très poli. Julien aimerait sans doute boire quelque chose.

— Ma foi, dit-il, je ne refuse pas.

Je vis alors une ombre remuer contre un massif, et briller les prunelles d'un chien. Qu'est-ce qui m'a pris?

— Tu es attendue, dis-je à maman en désignant l'obscurité du massif.

Comme s'il n'attendait que ça, Blaise sortit des ténèbres, écarta négligemment un lampion qui lui effleurait l'épaule, et il entra dans les phares.

— Bonjour, Rose, dit-il d'une voix paisible. Je suis content que tu sois enfin arrivée.

À partir de là, je me suis enfui. À peine ai-je eu le temps de les voir marcher ensemble dans l'allée et Arbogast remonter seul dans sa bagnole.

Deux affreuses figures de sorcières jaillirent des rhododendrons à ma gauche. Sous les masques, je reconnus les rires des jumelles.

— C'est Mrs Tashleen qui nous les a donnés! dit Annette.

— On en a un de loup-garou, tu le veux?

Violette me tendait le masque. Sans réfléchir, je l'ai enfilé, puis je me suis mis à courir après elles en hurlant à la mort.

— Marie-Andrée a eu une idée! s'écria Mami-grand, ravie.

— Vite! De quoi s'agit-il?

— Un son et lumière! Un son et lumière à Saint-Expyr! Qu'en pensez-vous? Voilà qui nous chan-gerait de nos vide-greniers qui rapportent une misère à nos associations!

— Un son et lumière, mais oui! Saint-Expyr a connu de très riches heures!

On s'esclaffa. Puis une clameur s'éleva:

— Le gâteau! Les bougies!

Je suis entrée dans le salon, j'avais besoin d'une pause.

Quelqu'un parlait dans la pièce voisine, je ne tenais à rencontrer personne, j'allais faire demi-tour quand j'ai reconnu la voix de Rochelle.

— Elle regarde moi avec méchant air. Je te jure. Cette petite m'aime pas depuis qu'elle me voit dans le train.

— Allons, répondait gentiment la voix d'oncle Gil. Madeleine est une charmante gamine. Elle doit simplement être perturbée de te retrouver ici alors que tu n'étais qu'une passagère quelconque dans un train quelconque…

– Qu'est-ce que c'est, quelconque ? On dirait un gros mot.

Oncle Gil éclata de rire et tous deux se mirent à se donner de petites tapes. Affectueuses comme on dit.

Je me suis détournée, écœurée. *Charmante gamine.*

Une clameur montait du jardin… «*Joyeux anniversaire… Joyeux anniversaire, Joyeux anniversaire, cher Henri…*»

Rochelle et mon oncle sont sortis en courant et en riant toujours.

– Madeleine ? m'appela une voix.

Meyer fit irruption dans l'embrasure de la porte-fenêtre. Il rejeta sa frange qui tombait régulièrement sur ses yeux.

– Votre grand-mère, dit-il. Elle m'a chargé de vous dire d'aller chercher Mlle Édith. Pour manger du gâteau d'anniversaire.

– Pourquoi moi ?

Il haussa les épaules et pivota, l'air bougon.

– Elle a dit vous ou votre cousin. Je vous ai vue en premier, voilà tout.

MADELEINE

J'y suis allée mollement. Traverser le parc tout noir, ça me disait moyen moyen. En même temps j'étais contente d'en découdre avec cette assommante fête (aurait dit Rochelle). J'avais décidé de remettre mon cadeau à Papigrand tout à l'heure, au dîner.

Mais il était dit que, décidément, ce soir, je passerais mon temps à surprendre des trucs que je ne devais pas. J'avais à peine atteint la pelouse des sapins que... je suis tombée sur eux. Je les aurais reconnus entre mille... Malgré la nuit. Blaise Rivière et Rose, enlacés.

J'ai hésité. Faire un détour? Me manifester? L'herbe avait amorti le son de mes pas. Autant ne pas déranger.

Doucement, lentement, j'ai pivoté. J'ai entendu Rose qui chantonnait: « *When we kiss my heart's on fire, burning with a strange desire...* »

Doucement, lentement, j'ai choisi ma direction: Bâbord toute.

— C'est quoi ce machin accroché à ta lèvre? Comment veux-tu que je t'embrasse avec ça?

— Ça se retire, tu sais.

Doucement, lentement je me suis éloignée d'un pas.

— Et tes cheveux… Cette couleur est abominable.

— Elle me va divinement au contraire. Qu'est-ce que c'est ? Tu as entendu ?

— Une bestiole. Un oiseau. Peut-être mon chien qui se demande pourquoi je le laisse tomber pour une dame…

Ils ont ri. C'était moi, la bestiole. J'ai expiré à petits coups, mon cœur cognait comme un fou…

Je me suis remise à marcher dès qu'ils se sont remis à parler, mais plus doucement encore, plus lentement.

— C'est la mode, ce rouge, à Londres ?

— On voit ça partout. (Soupir de Rose.) C'est à cause de ma mère, tu sais bien. C'est instinctif. Suffit que je sache qu'on va se voir pour que j'aie envie de me faire une tête de Sioux.

Il murmura avec tendresse.

— Tu es complètement idiote.

— Je sais.

— Ce piercing… C'est contre elle, ça aussi ?

— Quand on était petites, elle nous a interdit à Édith et moi de nous percer les oreilles. Son colonel de père lui avait assuré que seules les mauvaises filles, les filles à soldats, avaient des trous aux oreilles.

– Hum… Alors c'est elle qui est complètement idiote.

– C'est une astuce, un de ses chausse-trappes : rendre débiles les gens autour d'elle.

Silence. J'ai cessé de marcher. Nouveau baiser, je suppose. J'ai attendu qu'ils reparlent.

La voix de Rose susurra :

– Pardon d'avoir raté ce train. Acte manqué, bien sûr. Tu m'as attendu longtemps ?

Blaise eut un petit rire. Puis sa voix, sa drôle de voix sourde, se fit encore plus sourde.

– Toute la vie, répondit-il.

Doucement, lentement, je fis un autre pas.

– Je vais parler à ton fils.

– Non. S'il te plaît. Je m'en occupe.

– Quand on avait dix-huit ans, tu me disais la même chose pour ta mère… Vois où on en est ! Toutes ces années gâchées. J'en ai assez qu'on se voie uniquement quand ta famille n'est pas là.

– Je vais tout expliquer à Hermès, je te promets. C'est un garçon bien.

– C'est un garçon bien mais ton manque de clarté lui donne une vision fausse et décalée…

— Encore un bruit... Par là, vers ces arbres...

— Ne change pas de sujet. Tu veux que je te dise? Cette situation te plaît, au fond. Tu en tires tous les avantages.

— Elle est très inconfortable au contraire!

— Inconfortable? Mais je suis à ta disposition! Tu me siffles, j'accours!

— Tu parles comme... un chasseur!

Le rire de Blaise fut un rire de souffrance.

— Et toi comme une Coudrier. Pour vous, pour ta mère, pour Dimitri, pour toi, je reste un paysan aux bretelles ridicules, tu aurais honte de me présenter à tes amis parisiens.

— C'est faux.

— Non, c'est la vérité. Ton piercing, tes cheveux tomate... ça ne me leurre pas, tu sais. Sous tes airs de provoc infantile, tu restes la jeune femme rangée que ta mère a voulu faire de toi, à son image...

Il y eut des froissements, comme si elle cherchait à se blottir dans ses bras, ou comme s'il la repoussait.

— Maman est une snob, sectaire, raciste, venimeuse... Je ne suis rien de tout ça!... Oh Blaise, ne nous disputons pas... À cause d'elle surtout! On se voit déjà si peu... Je te promets, je vais parler. Je t'assure, je vais le faire. Laisse-moi du temps.

Il soupira. J'entendis à nouveau les froissements : ils s'embrassaient. Puis l'un d'eux chantonna... Cette fois, la voix de Blaise : « *Oh my darling, please, surrender...* »

Ils se mirent à rire, l'un contre l'autre, tout bas d'abord, puis de plus en plus fort, comme après une très grande frayeur.

J'en ai profité pour dévaler la pente.

HERMÈS

Il fallait que je trouve Madeleine ! Il fallait absolument que je lui parle de tout ! De l'homme mort derrière le noisetier, de Papigrand. De ma mère et de Blaise Rivière. Et puis d'elle et d'oncle Gil. Et d'elle avec moi. Je n'en pouvais plus de garder tout ça pour moi. Et je commençais à en avoir ma claque d'essayer de la trouver, et de ne jamais y parvenir. Madeleine, bon sang, t'es où ?

J'ai rencontré Korvo qui errait. C'est probablement le moment où j'ai commencé à m'habituer à l'idée que son maître risquait désormais de se trouver là où se trouvait ma maman.

— Où est ton maître ?

Je lui offris trois petits fours et il se fit la malle. Il avait aperçu nos chats.

— Trois petits fours et puis s'en vont ! dis-je en faisant un clin d'œil à Colin-Six ans qui semblait errer lui aussi.

Je fourrai une tartelette aux noix dans sa bouche afin de contrer toute riposte. Et je suis reparti à marcher, à chercher. Où es-tu Mado ?

ÉDITH

C'est lourd, lourd, si lourd... Tout à l'heure j'ai failli m'évanouir, je suis à bout de forces. J'ai eu tant de mal à venir jusqu'ici sans être vue, il a fallu que je me cache souvent. Tous ces gens... Cela me faisait peur, je n'en avais pas vu autant depuis l'hôpital... Dieu, que c'est lourd... Il faut que je le transporte maintenant... Je vais passer par l'arrière, ce n'est pas éclairé, il n'y a personne... Quelle surprise ils vont avoir, surtout maman... Mais j'expliquerai tout, et ils verront que je ne suis pas folle, que je ne suis pas folle...

HERMÈS

Je l'ai attrapée par l'avant-bras. Elle courait.

— Enfin ! S'il te plaît, Mado... J'essaie de te parler depuis des heures, depuis des heures je veux te raconter un truc qui me rend malade, mais il y a toujours quelque chose qui...

— Une minute, Hermès. Mamigrand m'a fait dire d'aller chercher Édith et je ne l'ai pas trouvée. Elle s'est peut-être enfuie...

Elle était essoufflée. J'ai ricané :

— Tante Édith ? Tu sais bien, c'est une de ses manies. Elle adore se planquer dans les recoins de son pavillon. Des fois, l'infirmière qui lui fait ses piqûres passe vingt minutes à la chercher.

— Je vais quand même en parler à Mamigrand.

Je l'ai suppliée :

— Mado, je t'en prie... si tu vas voir Mamigrand, elle te donnera une galette et un petit pot de beurre et tu seras bonne pour te retaper la traversée de la forêt...

Cela ne la fit pas rire. Elle hésita, puis céda.

— Je t'écoute, dit-elle.

— Pas ici. Parce que mon histoire, tu vas voir, elle mérite pas d'être entendue par tout le monde.

Je lui pris le bras et tout en marchant vers un coin du parc, tandis qu'elle me suivait docilement, je me demandai par quoi j'allais commencer. L'homme? Moi? Ma mère? Papigrand?

— Écoute, dis-je à voix basse quand nous nous fûmes suffisamment éloignés. Ce midi, j'étais avec les petits dans le potager, on allait cueillir des citrouilles...

Je me suis tu. Comment dire, comment expliquer cette ignoble chose qui nous arrivait? Je l'ai regardée en face. Ma voix l'inquiétait, l'anxiété gagnait son petit visage. Je l'ai dit, avec ses cheveux raccourcis, on lui voyait tout beaucoup mieux.

— Je commence par le commencement. Voilà. Ce matin, j'ai vu Papigrand parler avec un homme qu'on ne connaissait pas...

MADELEINE

Au fur et à mesure qu'il me racontait cette histoire si complètement, si atrocement incroyable, une pensée s'insinuait en moi, lente, profonde, perfide...

La mort de cet homme inconnu avait un lien avec le mensonge d'oncle Gil. Il avait demandé à Rochelle de proférer le même mensonge que lui. En assurant qu'ils étaient arrivés ensemble, par le même train ce matin, Rochelle, donc, était un faux témoin. Un faux alibi.

J'étais incapable d'imaginer oncle Gil en criminel, non, c'était impossible à croire. Mais il avait menti, il fallait que je sache pourquoi.

Quand Hermès eut fini, un silence tomba entre nous, labyrinthique. Enfin, j'ai murmuré :

— Où... où est-il... ?

— Dans le potager. Caché derrière le noisetier.

Autre silence. Plus incertain et lugubre. Puis :

— Tu crois que c'est ce qu'il fallait faire ? ai-je chuchoté. Le cacher ?

Hermès fit une grimace, et poussa un long, très long soupir.

— Non, dit-il tout bas. Ce qu'il fallait, c'était avertir la police. Mais je ne me sentais pas le courage. Parce que je crois que c'est Papigrand qui l'a tué.

Il se gratta le front, me regarda par en dessous :

— Je ne m'en sens toujours pas le courage. Et toi ?

Oh non, ai-je pensé, non, moi non plus. Mais moi parce que je crois que le meurtrier c'est...

– D'ailleurs, il est trop tard.

La pensée qu'oncle Gil était empêtré dans des problèmes, mais que je pouvais être avec lui, le tirer de là, l'épauler, me plongea dans une brutale et coupable excitation.

– Montre-moi où il est ! soufflai-je.

– Oh non ! Non, non, je t'assure.

Le pauvre paniquait à la perspective de me montrer un mort.

– Les petits l'ont bien vu...

– Mado...

Sans un mot, je l'ai tiré et embarqué par la manche.

Mamigrand nous a interceptés alors que nous traversions un groupe d'invités.

– Édith n'est pas avec toi ? demanda-t-elle.

Elle parlait tout bas à cause de ses amies du club qui étaient à côté. Mamigrand a toujours eu honte d'Édith. Bien avant, même, sa... maladie.

Je l'ai dévisagée, l'esprit tous azimuts. Après le récit d'Hermès, Édith devenait un problème mineur.

– Elle... dormait, dis-je. Je n'ai pas voulu la réveiller.

À son air je vis que Mamigrand était soulagée en fin de compte... Pour aujourd'hui, il n'y aurait pas de rencontre entre ses amies et «sa mauvaise fille» comme il lui arrivait d'appeler Édith. Elle pivota, tout sourire :

— Autre idée pour le son et lumière ! lança-t-elle sans plus s'occuper de nous. Georges ferait le chevalier Guéric le Hardi.

Tous s'esclaffèrent.

— Pour mon goût, confia quelqu'une à quelqu'autre, on devrait créer une Fédération locale des produits laitiers...

J'ai décroché d'une guirlande une citrouille de la taille d'un pamplemousse qui contenait une bougie allumée. M'était venue l'idée (glaçante !) que le potager ne serait pas éclairé.

La tête orange au sourire difforme balança au bout de son fil de fer, au bout de mon bras...

— Y a besoin de ça ? me demanda Hermès avec dégoût. De cette... ?

— Cette citrouille protège la bougie du vent ; si la bougie s'éteint, tu auras de quoi la rallumer ? Alors, choisis : ou la grimace de la citrouille ou l'obscurité totale !

On arriva devant la porte du potager.

Nous avons marqué une pause pour aspirer un grand coup. J'ai empoigné la main d'Hermès et je l'ai serrée fort.

Nous sommes entrés.

COLIN-SIX ANS

Il avait retrouvé la trace du renard par hasard. En fait, l'animal avait saigné le long d'une petite allée qui contournait la maison. Les taches se distinguaient à la lueur des lanternes pendues, mais elles continuaient plus loin, plus loin, dans la nuit, en direction de l'étang.

Colin-Six ans courut droit au garage et remonta l'escalier en fer jusqu'au cellier où, dans le grand placard, étaient stockés lampes de secours, ampoules, piles, bougies, ficelle, et tous les outils qui lui permettaient souvent d'embarquer sur des bateaux pirates sans se sentir démuni.

Il escamota une lampe neuve et, on ne sait jamais, aussi un bout de ficelle et un décapsuleur. Et une poignée de sel iodé qu'il lâcha dans sa poche, en prévision des maléfices et des mauvais sorts des Kyytwwug.

Quand il ressortit de la maison, une dame, amie

de sa grand-mère, lui passa la main sur le crâne. Les grandes personnes lui passaient systématiquement leur main sur le crâne. Il se déroba.

— Il est mignon ! rit-elle.

Il prit des amandes et du raisin sur la table. Puis il suivit les traces de sang, des toutes petites, que personne, sauf lui, ne pouvait remarquer sur les cailloux et la pelouse. Il se faufila vers le rideau de sapins qui jaillissait des herbes juste avant l'étang.

Son renard avait dû venir ici parce qu'il était assoiffé. Il était blessé, et les blessés et les malades avaient souvent soif, on voyait ça dans les films.

Ici, le point d'eau le plus proche était l'étang. Colin-Six ans songea que son renard était vraiment intelligent.

Il sifflota, maladroitement, il ne savait pas faire mieux. Et puis il devait rester discret.

— Loup, où es-tu ? murmura-t-il.

Il avait allumé sa lampe. Il repéra de nouvelles traces de sang devant un taillis. Elles s'arrêtaient devant un arbre dont les racines surgissaient de terre comme de gros ressorts.

Colin-Six ans eut peur. Il s'arrêta pour réfléchir. Les Kyytwwug, il le savait, adoraient les énormes racines comme celles-là. Ils s'y cachaient, ils y vivaient, ils y construisaient leurs maisons. Était-ce un de leurs pièges?

– Ghwilltt! appela-t-il dans un souffle. Venez à mon secours.

Il prit du sel dans sa poche et le fit couler en filet devant lui. La règle était de marcher exactement où il retombait, sous peine d'être la proie des Kyytwwug. Et Colin-Six ans marcha exactement sur la ligne de sel qu'il semait, entre les racines.

Au bout de trois pas, il aperçut le renard.

Il s'accroupit, déviant le faisceau de la lampe afin de ne pas éblouir la petite bête.

– Tu aurais pu prévenir que tu partais à la pêche. Mais y a pas de poisson dans cet étang. Tiens, regarde ce que je t'apporte.

Il cueillit un grain sur la grappe, l'approcha du fin museau roux et noir. Le flairant à peine, le renard le goba. Il engloutit ainsi la totalité de la grappe, même les grains écrabouillés, il grignota une amande, mais par politesse sembla-t-il, car il refusa le reste.

Colin-Six ans avança la main au creux des racines. Mais l'animal ne voulut pas se laisser caresser. Il donna un coup de tête sur la paume du petit garçon.

— Excuse-moi. Moi non plus j'aime pas ça, avoir une main qui se promène sur ma tête.

Il contemplait l'animal et le trouvait beau. Il n'avait jamais imaginé qu'un renard pouvait être aussi beau, aussi délicat, avoir une telle expression de dignité. Dans les histoires, ils étaient toujours les persifleurs, les malins rôdeurs, les voyous.

— Je t'ai trouvé un nom, dit-il soudain. T'as les poils de la même couleur que le violoncelle de Mlle Austerlitz. Je vais t'appeler « Diable et Daniel Webster ». C'était le nom de la musique qu'elle jouait ce matin. C'est long, mais au moins…

Il s'interrompit. La patte arrière du renard était toute noire, les poils tout collés de sang.

Colin-Six ans se redressa.

— Attends, je vais te soigner. Je vais apporter du pansement. Tu m'attends, hein ?

Il ramassa sa lampe, et repartit vers la maison en courant.

KORVO

Dans la maison, Korvo n'avait cessé de courser (amicalement) les chats. Après qu'il leur eut mené un jovial train d'enfer à travers les pièces du rez-de-chaussée, White Spirit et Olismok s'octroyèrent une pause dans le cagibi sous l'escalier.

Korvo aurait aimé les suivre mais une chaise avait été tirée devant la porte. Si un chat et un chaton pouvaient sans peine se faufiler dans l'entrebâillement, en revanche, pour un pointer adulte à son poids de forme, impossible !

Korvo s'allongea donc devant la porte, et attendit. De temps à autre, il lançait un ou deux aboiements, histoire de montrer qu'il avait la maîtrise de la situation.

Le pointer est un chien d'arrêt.

GUY FAWKES

Il fut décidé que le directeur de la coopérative maraîchère serait le sorcier, et Irma Tashleen la *Batlady*. Les autres invités ne voulurent pas mettre de masque, mais proposèrent de récolter des brindilles et du petit bois. Assez mollement, il faut avouer.

En fait, la corvée retomba sur Clara et Meyer

son neveu, qui ramassèrent les feuilles mortes et le bois qui allait alimenter le grand feu projeté.

L'idée était venue de Mrs Tashleen, inévitablement. «D'une Américaine seule peut surgir une idée aussi farfelue!» murmura une dame (sans doute Mme Brégégère, l'épouse d'un viticulteur régionalement renommé).

Tout avait commencé avec les invités qui avaient froid. Mme Coudrier proposa tout naturellement de faire du feu. Et de là fusa l'idée de Mrs Tashleen de brûler Guy Fawkes, puisque c'était le jour!

— Guy Fawkes? interrogea Mme Brégégère.

— Le symbole du joug catholique. On brûle un pantin sur un bûcher, l'on se libère ainsi de ses mauvais démons.

— Vraiment frappés ces Américains... marmonna la secrétaire de mairie.

Mais il s'agissait de se réchauffer et, une pierre faisant deux coups...

— Meyer! C'est l'occasion pour vous de brûler les feuilles mortes! Excellente idée après tout!

Meyer se gratta la frange d'un air perplexe. Clara se pencha à l'oreille de son neveu.

— Fais ce qu'on te dit...

Les jumelles et Rochelle fabriquèrent un portant

avec deux branches ficelées en croix ; sur le haut on enfila un vieux pull, un jean troué dans le bas, un bonnet, et Guy Fawkes se matérialisa.

— Brûlez-le ! cria quelqu'un.

La plupart restaient assis, à siroter leurs verres, à grignoter des restes de gâteau. Mrs Tashleen, Rochelle, Annette et Violette plantèrent le Guy Fawkes au centre du bûcher.

— À vous l'honneur, monsieur Coudrier ! s'écria Mrs Tashleen, c'est votre anniversaire après tout !

Meyer alla chercher les longues allumettes de cheminée dans le salon. M. Coudrier en fit craquer une. Il se pencha sur son fauteuil roulant, approcha l'allumette… Le « bûcher » de bois mort et de feuilles sèches flamba aussitôt autour du pantin.

Clara tira vite le fauteuil par ses poignées afin de l'éloigner du feu.

— Merci, Clara, lui dit M. Coudrier, presque distraitement, sans même lever les yeux.

— De rien, Monsieur, murmura-t-elle, atone et mécanique, comme chaque fois qu'on la remerciait.

Quand les flammes vrombirent haut, orange et bleu, Mrs Tashleen et le directeur de la coopérative enfilèrent leurs masques et entamèrent une danse apache autour des flammes en ululant You-ou-ou.

Les jumelles battirent des mains et sautèrent de joie. Annette tourna la tête en quête de Colin-Six ans, mais il n'était pas là. Elle chercha Hermès. Mais il n'était pas là. Madeleine. Pas là non plus.

— Hé, dit-elle à l'oreille de sa sœur. Ils sont où, les autres ?

Violette jeta un bref regard autour et haussa les épaules.

— S'ils sont pas là, c'est qu'ils sont ailleurs.

Mrs Tashleen mimait très bien la *Batlady*. Elle portait une cape bleue (un couvre-lit) et un masque rouge. Malgré ses rondeurs, elle dansait avec grâce sur ses hauts talons, ses longues boucles d'oreilles en cristal jetaient mille lumières sur l'assemblée. Le directeur de la coopérative, lui, suivait comme il pouvait, mais tous les regards étaient attirés par Mrs Tashleen.

Les jumelles la contemplaient bouche bée.

Soudain, un frisson secoua l'assistance tout entière. Un murmure serpenta, monta dans le soir au-dessus des flammes. Tous les visages se détournèrent de Mrs Tashleen pour pivoter en direction opposée.

Une silhouette venait d'apparaître tel un fantôme au milieu des invités. C'était Édith. Elle portait une robe blanche à l'ourlet déchiré, taché de terre et de boue. Elle était pieds et bras nus. Ses mains aussi étaient sales. Mais le plus stupéfiant était ce berceau en bois aux dessins au pochoir, qu'elle tirait derrière elle.

Quand elle s'immobilisa, on vit avec stupeur qu'un enfant était endormi dedans. Un bébé emmailloté que la jeune femme, l'œil exalté, prit dans ses bras et qu'elle berça. Durant quelques secondes il régna sur tout le monde un silence d'hébétude.

Édith fit un pas vers le bûcher qui grondait. Alors, dans un cri d'horreur incrédule, on la vit soulever le bébé et le jeter dans les flammes.

– Bon anniversaire ! cria-t-elle.

Et elle tomba inanimée sur la terre.

HERMÈS

L'idée d'embarquer la citrouille en guise de chandelle se révéla, on s'en doute, complètement imbécile.

Outre que se balader avec des dents lumineuses et des yeux qui ricanent ne soit pas la plus rassurante des choses, le truc éclairait avare.

J'ai pensé aux bols à semis en verre que Mami-grand retourne sur ses graines pour qu'elles germent avant d'être boulottées par les oiseaux.

J'en ai retiré un d'une plate-bande pour y caler la bougie, et j'ai balancé le maudit légume à grimace. J'ai lu dans le regard de Madeleine qu'elle trouvait mon initiative indubitablement plus astucieuse que la sienne.

Je précédais Madeleine, et j'avoue que je n'en menais pas large. Il faisait froid mais je transpirais comme sous les feux de l'enfer et nos mains qui se tenaient bien serrées étaient toutes moites.

Enfin nous avons remonté l'allée. Les branches du noisetier s'élançaient vers le ciel comme les bras d'un gigantesque chandelier, plus noir que le ciel.

— C'est là, dis-je sans regarder. Derrière.

Madeleine avala sa salive, je l'entendis parce que cela fit un petit bruit mouillé. Je lui tendis le bol avec la bougie. Elle le prit, ferma les yeux une seconde comme le plongeur sur son tremplin. Puis elle se pencha. Elle passa un moment assez long à promener la bougie dans les airs, à droite, à gauche, en haut, plus bas...

— Je ne vois rien.

— Entre le mur et le tronc du milieu.

À la lueur de sa petite flamme, l'ombre des arbres galopait, s'arrêtait, revenait. Le noisetier prenait vie...

— Je ne vois rien!

À bout de nerfs, je lui arrachai presque la bougie des mains.

— Là! Là! criai-je à voix basse. Sous les branches!

Je baissai les yeux à l'endroit exact où, à midi, les petits et moi avions basculé le corps du monsieur hors de la brouette.

Il ne restait qu'un creux de forme humaine dans l'épaisseur des feuilles et de la terre humides, des Kleenex en boule, et l'empreinte de roue de la brouette. Mais le corps du monsieur, lui, avait disparu.

ANNETTE ET VIOLETTE

Blaise Rivière, immédiatement suivi de Rose à laquelle il donnait la main, fendit la foule des invités et s'agenouilla par terre au côté d'Édith inconsciente. Le Dr Regain était déjà auprès d'elle.

— Elle revient à elle. Elle a eu une forte émotion.

— *My God ! Oh my God !* murmurait Mrs Tashleen recroquevillée dans la balancelle. *She's killing me... Oh my God !*

Derrière, au milieu du «bûcher», Guy Fawkes achevait de se consumer... en compagnie d'une forme grotesque, aux bras et jambes déformés par la chaleur, à la figure en fusion.

— Qu'est-ce qui s'est passé ? gémit Rose.

Clara accourait avec les ampoules que l'on injectait soir et matin à Mlle Édith.

— Les voilà, docteur ! dit-elle hors d'haleine. Est-ce que je dois appeler Mme Folenfant ?

— Non. Avertissez-la simplement que je me charge de la piqûre de Mlle Coudrier ce soir. Je vais d'ailleurs doubler la dose.

Édith entrouvrit les paupières. Les flammes jetaient des éclats pourpres sur la peau fine de ses joues.

— Il faut la transporter à l'intérieur de la maison.

Le petit docteur aux frêles épaules toisa d'un air éloquent la solide carrure de Blaise Rivière. Celui-ci glissa les bras sous la jeune femme étendue et la souleva sans peine. Il marcha vers la maison, Mamigrand le devança pour lui ouvrir une porte-fenêtre qu'un frileux avait refermée. Quelques invités les suivirent.

Dans un coin, un peu en retrait de l'assistance, Violette prit le bras de sa sœur Annette. Elle fixait la forme qui brûlait et qui avait été un bébé.

— Tu le reconnais?

— Bien sûr. C'est Oscar.

— Papigrand lui avait offert à Noël quand elle était petite.

— C'est dommage qu'elle l'ait jeté au feu. Il savait parler et faire pipi.

— Oui, c'est dommage.

Puis Annette reprit après un temps de silence:

— Qu'est-ce que j'ai eu peur quand maman est arrivée et qu'elle a jeté, plaf! plaf! sa poupée dans le feu!

— Moi aussi j'ai eu drôlement peur.

Elles rirent avec un peu de nervosité.

— Ils vont la ramener à l'hôpital, tu crois?

— Qui?

— Maman.

— Ben non. Une poupée c'est pas un bébé. C'est pas comme si ç'avait été un vrai bébé.

Elles se turent à nouveau. La même pensée jaillit

des profondeurs opaques du noisetier là-bas, terrifiante, et les foudroya du même éclair.

— Dis…

— …

— Le monsieur mort… Tu crois que c'est elle… Que c'est maman qui…

Annette voulut lui plaquer la main sur la bouche. Mais, ratant sa cible, elle jeta violemment ses bras autour du cou de sa sœur et lui serra la tête contre sa poitrine pour étouffer ses paroles.

— Chuuuut! dit-elle, épouvantée. Chut, tais-toi…

Elles demeurèrent ainsi, blotties l'une contre l'autre, emplies d'une frayeur qui empêchait de respirer.

La voix de Mamigrand, lointaine, du haut du perron, interpella tous les invités.

— On l'a couchée, le docteur lui a donné un calmant, tout va bien. Ne partez pas surtout! Nous vous avons réservé une surprise… Un feu d'artifice!

COLIN-SIX ANS

Quand il sortit de la salle de bains à l'étage avec, en poche et sous le bras, le flacon de Mercryl et le kit de secours que Mamigrand emportait lors des balades en forêt, Colin-Six ans entendit un grand remue-ménage au rez-de-chaussée.

Du haut de la rampe, il vit Blaise Rivière, flanqué d'oncle Gil et du Dr Regain, qui emportait sa mère endormie, toute pâle, vers le grand salon ; et Mamigrand qui répétait : « Mon Dieu, mon Dieu, où est-elle allée pour se salir comme ça... Toute cette boue !... »

Endormie ? pensa Colin-Six ans, le front calé sur les barreaux de la rampe. Ou morte ? Il avait déjà vu sa mère morte, une fois. Il était entré dans le pavillon au fond du parc, tout était silencieux. Il l'avait trouvée étendue par terre dans sa chambre, avec une respiration qui sifflait comme une bouilloire qu'on aurait allumée, puis éteinte, puis allumée, puis éteinte...

Mamigrand lui avait expliqué que maman avait pris trop de cachets. « Tu vois ce que ça fait de manger les médicaments qu'il ne faut pas ! » Il avait aussi compris que, grâce à lui, sa mère avait pu être ressuscitée par les docteurs. Mais désormais il n'avait plus le droit de retourner seul dans le pavillon pour dire bonjour à maman. Mamigrand disait aux autres (à voix basse, mais il entendait) :

« S'il lui prenait de recommencer et que cette fois ce soit la bonne… »

Il ne voyait pas ce que la bonne avait affaire avec tout ça. Il trouvait Clara gentille. Mais les grandes personnes avaient parfois d'étranges propos.

Le hall était désert. Les gens se trouvaient soit dans le salon avec sa maman endormie, soit dehors autour du feu. Son cœur battit très fort quand il sortit et dut passer près d'eux, mais personne ne fit attention à lui. Ils paraissaient tous excités. Comme il se glissait derrière un groupe pour gagner les sapins, des bouts de phrases volèrent jusqu'à ses oreilles :

— … trouvée dans les bois totalement nue, sous l'orage…

— … piqûres matin et soir…

— … pas diabétique, hystérique…

— … La pauvre chose ne s'en est jamais remise…

Colin-Six ans concentra toute sa pensée sur le petit renard qu'il allait rejoindre, là-bas au creux des racines.

Quand même, il fut presque surpris de l'y retrouver, de constater qu'il n'avait pas bougé. Le renard cligna de l'œil dans le rond blanc de la lampe. Colin-Six ans ouvrit le Mercryl et la petite trousse en nylon avec les pansements.

Mais avant il eut la précaution de donner quelques tapes sur le sol avec son pied pour provoquer la fuite des Kyytwwug.

MADELEINE

— Vous ne venez pas ? nous demanda Papigrand en freinant des roues. C'est le feu d'artifice. Ah, ah, vous ne vous y attendiez pas, hein ?

Hermès regarda notre grand-père d'un air éperdu. Je devinais ses pensées, les questions qu'il se posait. Papigrand était-il l'assassin ? Avait-il fait disparaître le corps du potager ?

— Ça va bien, mon garçon ? s'inquiéta Papigrand devant ces yeux vides qui le dévoraient.

Hermès secoua la tête :

— Très bien, ânonna-t-il. C'est une bonne idée ce feu d'artifice, on ne s'y attendait pas, non.

Menteur. Depuis trois ans, Mamigrand nous fait le coup.

— Il sera tiré d'où ? demandai-je.

Ça aussi, on le sait par cœur. Du haut de la colline en face de la nôtre. D'ailleurs une voiture de

pompiers de Dargelos a grimpé la côte vers le milieu
de la soirée.

— Amusez-vous bien, dit Papigrand en braquant
ses roues pour s'éloigner. Et ne vous tourmentez pas
pour votre tante Édith. Le docteur dit que son geste
de ce soir était, hum, un exorcisme. Il y a des
chances qu'elle aille mieux.

Nous n'avions pas assisté à cette horrible scène.
Tant mieux, entre nous. Je n'aurais pas aimé voir le
vieux baigneur de tante Édith se tordre dans le feu
comme un être vivant.

Mais de notre côté, on n'avait rien à lui envier.
Nous aussi on avait été gâtés... Seulement, nous,
personne n'était au courant. Sauf l'assassin qui
avait fait disparaître le corps et devait se demander
lui-même comment le mort avait auparavant
quitté le carré de courges pour l'arrière du noisetier. J'ai chuchoté :

— Avec son fauteuil roulant... Comment il
pourrait ? C'est impossible ! Ça ne peut pas être lui !

— Papigrand est fort comme un bœuf. Il a des
muscles, on dirait des cordes à nœuds. Et au lieu de
l'embêter, le fauteuil a dû l'aider au contraire. Pour
déplacer le corps.

— Jusqu'au noisetier ? Rouler dans cette terre

molle, ces feuilles mouillées? Non, non. La personne qui a fait disparaître le corps s'est servie de la brouette... Comme vous. Preuves: les traces de roue. Tu vois Papygrand pousser son fauteuil et la brouette?

— Traces de brouette ou bien de... chaise roulante!

— Eh bien, eh bien! s'écria la voix de Mamigrand, ça commence bientôt. Qu'est-ce que vous complotez tous les deux? Vous ne rejoignez pas les autres?

— Si, si.

— Allez sur le devant. De là, vous verrez mieux le feu d'artifice. Mais d'abord... Madeleine?

— Oui, Mamigrand?

— Va voir ce qui se passe avec cet animal, veux-tu? Il aboie depuis tout des heures et je crains que ce soit après les chats. (Elle regarda Hermès.) Je suppose que son maître est trop accaparé par ta mère pour s'occuper de lui.

Et sur cette flèche, elle quitta la terrasse où mon cousin et moi étions assis.

— C'est vrai, qu'est-ce qu'il fout à être tout le temps avec elle? grinça-t-il.

— J'ai entendu qu'il avait aidé le docteur à soi-

gner tante Édith tout le temps qu'elle était éva-
nouie.

— Et alors? C'est fini. Il est où maintenant?

J'ai retenu un soupir.

— Mon pauvre Hermès, quand tu cesseras d'être
le papa de ton adolescente de mère...

— Qu'est-ce que tu racontes! Ça te va bien de
jouer les psycho-bla-bla! Tout le monde a deviné
pour qui tu t'es mis la boule à zéro!

Je n'ai pas dit un mot pendant de longues
secondes. Puis j'ai quitté ma chaise avec lenteur.

— Il faut aller calmer ce chien, dis-je. Allons-y.

J'eus la satisfaction de ne pas me sentir trembler,
même si mon moral était encore plus à zéro que
mon crâne.

Korvo était assis, impérial, devant le cagibi sous
l'escalier, ne daignant pas tourner la tête quand on
arriva près de lui. Dans l'entrebâillement dudit
cagibi, un petit museau rose et moustachu fit
«miaou». À quoi le chien opposa un «ouah!» inci-
sif.

— Mais c'est fort Alamo! dit Hermès. Que fout
cette chaise ici? Ce sont les chats qui l'ont tirée
devant ce placard?

— Sûrement. Ils se croient dans *Tom et Jerry*!

Nous avons éclaté de rire. Ça m'a soulagé.

J'ai saisi Korvo au collier pour l'emmener dans le petit salon de musique. Ce n'était pas facile. Il tirait avec énergie, bondissait dans tous les sens en poussant de petits gémissements vers les chats.

– Calmos, Korvo. Tu vas pas laisser ces deux guignols te monter le bourrichon ?

J'entendis soudain Hermès. Il m'appelait du hall. Sa voix était bizarre, comme s'il avait avalé de travers. Je suis sortie de la pièce en rabattant vite la porte, car ce satané chien ne voulait qu'une chose : m'emboîter le pas. Je suis retournée sous l'escalier.

J'avais failli demander « qu'est-ce qui se passe ? » Ce ne fut pas utile.

Les chats avaient pris la poudre d'escampette, mais le cagibi n'était pas vide pour autant. Les volumes d'une édition ancienne de l'*Encyclopœdia universalis* jonchaient le sol, une veste pied-de-coq marron était tombée d'un cintre, avec un polo aux drôles de taches violettes, ainsi qu'un pantalon jaune vanille sale et crotté.

Du moins, je croyais à des habits et, machinalement, je me suis penchée pour ramasser. (Mamigrand n'aime pas les affaires qui traînent, sales surtout !)

Mais, justement, en me penchant, la vérité me frappa en plein cœur. Là où j'attendais le crochet du cintre, il sortait une tête. Dans les manches il y avait des mains. Et des pieds au bout des jambes du pantalon plein de terre.

Je me suis redressée dans un hoquet. Pour voir l'expression de mon cousin assommé par la peur. Nous restâmes figés une éternité face au cagibi ouvert.

Hermès enfin parla. Des sons sortaient de lui, mais le sens m'en parvint avec un décalage.

— Il m'est presque tombé dessus… Ces bouquins… l'*Encyclopædia universalis*… Quelqu'un les a empiles là pour *le* retenir.

— Hé! cria une voix dans le jardin, ça commence! Venez vite!

Oncle Gil! Mon corps a instantanément repris vie.

Je me suis baissée, j'ai glissé mes deux bras sous la veste pied-de-coq… Sa raideur hideuse me surprit. Son odeur aussi, terre morte, feuilles mortes, et quelque chose d'autre que j'évitai de nommer.

Des pas gravissaient le perron. J'ai secoué Hermès.

— Aide-moi! suppliai-je. Je t'en prie…

Mon cousin se remit en marche… Lui tirant, moi poussant, le corps finit par s'engloutir dans les ténèbres du cagibi, avec les volumes de l'*Encyclopæ-dia universalis*.

– Vous êtes là ? cria la voix d'oncle Gil de l'autre côté de la porte d'entrée.

Sans réfléchir, dans un élan, je me suis précipi-tée dans le cagibi, j'ai tiré Hermès avec moi, et j'ai rabattu la porte sur nous.

Je la maintenais juste de quoi installer un inter-stice de respiration. Mais en fait… nous ne respi-rions quasiment plus, Hermès et moi. Parce qu'avec l'oncle Gil qui ne devait absolument pas nous découvrir, cette sale odeur qui sentait encore plus fort dans le cagibi, ma conviction que le truc qui bloquait mon talon en cet instant était probable-ment une main du mort et cette seule idée qui me faisait tourner de l'œil, il n'y avait guère de place pour une respiration…

Nous entendions oncle Gil aller et venir dans le hall, autour de l'escalier. Mon cœur se pendit à une de mes côtes et cessa de battre… Mais oncle Gil ne vint pas jusqu'au cagibi. Il s'en retourna et sortit.

Mon cœur a recommencé à vivre, j'ai saisi la

main d'Hermès et je l'ai serrée contre moi. Oncle Gil était reparti ! Et j'étais doublement soulagée.

Hermès bondit dehors comme s'il allait vomir, en m'entraînant avec lui, puis il claqua la porte du cagibi et s'y adossa en toussant. Il avait des larmes plein les yeux.

— Tu es folle ! Tu es complètement folle ! Qu'est-ce qui t'a pris de nous enfermer là-dedans !

Il suffoquait, sa voix était sourde, mais il criait. Il criait vraiment.

— Je ne voulais pas qu'il nous trouve, dis-je.

— Mais qu'est-ce que tu me chantes ? ! Puisque le... le... puisqu'on l'avait remis dedans !

Il avait raison. On aurait pu sortir du hall et rejoindre oncle Gil sans attendre qu'il entre...

— Oui, répondis-je. Mais je n'aurais jamais su ce que je voulais savoir... Maintenant je sais.

— Qu'est-ce que tu sais ?

Qu'il n'était pas le coupable. Si oncle Gil avait été celui qui avait caché le corps dans le cagibi, il n'aurait pas manqué de venir y jeter un coup d'œil, or il ne l'avait pas fait... C'est ce que j'allais expliquer à Hermès quand un coup de fusil claqua, puis une kyrielle d'autres, en une violente pétarade. Je me suis bouché les oreilles.

Des lueurs dorées, des rouges, et argentées, éblouissaient les vitraux de la porte d'entrée... Ce n'étaient pas les chasseurs, mais le feu d'artifice !

Hermès se tourna brusquement vers moi, comme sous l'emprise d'une envie ultra-pressante.

– Écoute. Va rejoindre tout le monde ! m'ordonna-t-il. Sinon ça va leur paraître louche... Moi, je dois...

Il resta immobile, l'air d'attendre.

– Toi, tu dois quoi ?... Qu'est-ce que tu veux faire ?

– Je viens de penser... Je monte vérifier quelque chose. Allez, va...

DIABLE ET DANIEL WEBSTER

Le feu d'artifice explosait dans toute la campagne, illuminant les collines, les champs et les marécages, d'étoiles, peut-être féeriques, peut-être maléfiques...

Pour le petit renard tapi entre les racines, ce n'étaient que des coups de fusil ! Des fusils gigantesques, monstrueux, dont les balles montaient dans le ciel au-dessus des arbres en un vacarme qu'il n'avait encore jamais entendu de sa vie.

Alors, malgré sa patte en mille morceaux, malgré la douleur qu'il transportait à ses flancs et qui le rendait fou, la terreur le submergea et le rendit plus fou encore. Il sortit de sa cachette, traînant sa patte, traînant le bandage maladroit que lui avait fait le petit enfant tout à l'heure. D'un coup de dents, il l'arracha. Puis il voulut courir. Il vacilla. Il essaya encore. Il avança. Et continua.

Au-dessus de lui, la nuit explosait de tous les fusils, toutes les cartouches de l'univers.

Il vit les humains. Immobiles, leurs figures levées, ils regardaient ces explosions qui éclairaient la nuit comme des soleils.

Le renard contourna silencieusement les humains qui ne le virent pas, et franchit l'allée en direction des fourrés. De l'autre côté il y avait une grille. Il se glissa entre les barreaux et se retrouva dans la campagne, sur la pente de la colline. Il galopait, boitant, mais de moins en moins effrayé par ces drôles de coups de fusil qui ne l'atteignaient pas.

Enfin, au milieu du champ, il aperçut l'homme qui faisait peur aux oiseaux. Lui-même était trop intelligent pour être mystifié. Il savait que cet homme-là ne faisait pas de mal, car il ne bougeait pas et ne possédait pas de fusil.

Cet homme n'avait pas d'odeur.

Le renard se déplaçait mi-rampant mi-sautillant au creux des sillons. Contre le ciel, l'homme lui ouvrait les bras.

Le renard l'atteignit, sauta contre sa poitrine et s'enfouit dans sa veste pleine de paille.

HERMÈS

Le cagibi avait une clef. J'ai tourné deux tours, j'ai empoché la clef et je suis monté à l'étage quatre à quatre.

La chambre. Celle de mes grands-parents. Encore.

Par les fenêtres obscures, le feu d'artifice peint les murs et le plafond en vert, en jaune, en blanc, en rose… La peau de mes bras attrape les mêmes couleurs et après m'être pris pour un cambrioleur, je me prends pour un caméléon.

J'ai laissé échapper quelque chose l'autre fois… Si l'homme a fait chanter Papigrand, si Papigrand l'a tué à cause de ça, il doit forcément en rester des traces, des indices, mon cher Watson…

Un secrétaire est un meuble qui, paraît-il, possède toujours un «secret». Papigrand est fier du sien, c'est «un secrétaire à guillotine». J'ignore pourquoi. Je fouille dedans, derrière, dessus, dessous, partout. Une lame va-t-elle jaillir du haut et trancher ma main de fouineur? Je tire, soulève, retourne les tiroirs... Ni secret. Ni, ouf, guillotine.

Je regarde le verso des cadres de photo. Puis entre le sommier et le matelas de Papigrand. Dans sa table de chevet. J'essaie de me glisser dans le cerveau de Papigrand. Si j'avais quelque chose à cacher.

C'est idiot. Je ne suis pas Papigrand. Je ne suis pas un meurtrier, seulement un indiscret qui va se faire surprendre.

Mon regard effleure ces meubles aux noms qui n'existent plus... Bonnetière. Maie. Semainier. Chiffonnier.

Je ne peux plus. Je ne suis pas un fouineur ni un voleur de secrets. Je m'arrête devant le semainier. C'est une commode un peu haute, avec sept tiroirs, où l'on range le linge chaque jour. Lundi. Mardi. Mercredi. Jeudi. Vendr... Aujourd'hui c'est jeudi. C'est un jeudi que l'oncle Dimitri s'est noyé, le jeudi que Mamigrand se rend au cimetière.

J'ouvre Jeudi et, sous les mouchoirs, les tricots et les sous-vêtements, je trouve.

Pas exactement ce que je croyais. J'attendais une souche de chèque, un relevé bancaire avec une somme adressée à... à qui au fait? Il s'appelle comment le monsieur trouvé près du carré de courges?

J'extirpe le catalogue Damart caché dans Jeudi et qui date du printemps dernier.

Une enveloppe est glissée à l'intérieur, elle fait une épaisseur, elle est décachetée. Le papier en est beige avec des rainures, de même que les feuillets qu'elle contient. Il y en a quatorze.

Quand je l'ouvre, aussitôt une odeur flotte, une odeur devenue vieille en peu de mois, qui me donne un frisson d'effroi quand je la reconnais.

Tout le monde a son odeur. Celle-là est celle de mon oncle Dimitri. Elle était dans ses habits quand il entrait dans la pièce où vous étiez, dans son écharpe, son manteau, et dans ses cheveux quand il vous faisait la bise.

Il y a son écriture. Sur l'enveloppe, il a écrit: «À mon frère Gil». Et en haut de la première page «Dimitri Coudrier, La Collinière».

Si cette lettre s'adresse à oncle Gil, pourquoi se trouve-t-elle dissimulée chez Papigrand et Mamigrand, dans les pages d'un catalogue Damart, au fond du tiroir du quatrième jour ?

Le feu d'artifice bat son plein. Mon cœur aussi.

J'escamote l'enveloppe dans ma chemise, je referme Jeudi. Je quitte la chambre et cours me verrouiller dans la mienne.

J'allume. Je lis la longue lettre de mon oncle mort. C'est une confession.

DIMITRI

Mon cher Gil, mon cher frère,

Nous sommes différents et pourtant on nous a toujours comparés, va savoir pourquoi.

Différents par l'âge d'abord, nous avons douze années d'écart, c'est peu maintenant... Un précipice lorsque j'avais vingt ans et toi huit...

Différents car je suis aussi lourd que tu es désinvolte, aussi réfléchi (« je rumine », dis-tu) que tu es audacieux. Je plais peu et pas vite, tu séduis au premier regard. Je suis un mélancolique, tu es un railleur.

Différents car nous ne sommes que demi-frères. Ce terme de « demi » est si bête que tout le monde l'a oublié ! Y compris Henri qui a fait de moi son fils après qu'il eut fait de notre mère sa femme. Pourtant, si je le remercie de m'avoir offert le privilège de l'appeler papa, je dois dire que je suis heureux qu'il ne soit pas mon vrai père. Je détesterais savoir que dans mes veines coule son sang trop aimable, trop sensible et trop mièvre.

Moi, je suis un criminel. J'ai tué.

Tu as bien lu : j'ai tué. L'amour a fait de moi un criminel. Peut-être auras-tu envie d'écourter la lecture de cette lettre, peut-être penseras-tu que je m'appesantis sur d'anodins détails, mais il faut que tu comprennes le cheminement qui a fait de moi un assassin, et puis, écrire ces détails est pour moi une façon de les expier... Accorde-moi cette minuscule mièvrerie.

J'ai rencontré Aïcha à Paris, lors de cette vente de terrains dont maman m'avait confié la transaction. Je devais rester trois jours, souviens-t'en. Et, souviens-t'en, je suis resté... trois semaines. Pour ça, j'ai dû recourir à cent prétextes, subterfuges et mensonges... Mais je suis un homme si sérieux, si austère, si pondéré (« pesant », dis-tu) que personne n'a songé que je pouvais raconter des histoires. Pas même maman. Surtout pas maman.

Elle (Aïcha) était vendeuse chez un traiteur de luxe de la rue de Rivoli, non loin de mon hôtel. Mon hôtel, tu t'en doutes, n'était pas un de ces palaces qui fleurissent dans ce quartier. J'en avais déniché un, confortable et familial, mais dont l'adresse distinguée pouvait me faire mousser auprès de mes acheteurs.

Je l'ai remarquée tout de suite. Non pas parce qu'elle était jolie, mais plutôt parce qu'elle ne l'était pas. Son regard avait un éclat trop noir, sa bouche était trop bombée pour mon goût, ses dents écartées lui donnaient un air frondeur ; surtout, je la trouvai commune, citadine, et vulgaire. Lorsque je suis sorti après avoir payé, je l'avais déjà oubliée.

Le soir, en passant devant le magasin, je l'aperçus dans la vitrine. Elles astiquait des plats argentés, se tenait de profil et ne me voyait pas. Je pus observer tout ce que je n'aimais pas, ses paupières saillantes, presque asiatiques, son nez un peu plat, ses lèvres trop charnues pour être élégantes.

Elle me vit en reflet, dans le plat en argent, m'offrit un sourire, mais je m'éloignai en hâte. J'entrai dans une galerie marchande, en fis dix fois le tour sans rien y voir. Après être ressorti à l'air libre, j'ai marché. Un certain temps.

... pour me retrouver devant sa vitrine. La boutique était fermée, le rideau métallique baissé. J'étais furieux. Je ne me comprenais pas. Cette attitude, tu me connais petit frère, ne me ressemble pas.

J'étais sur le point de repartir quand elle m'apparut. Elle sortait de la porte cochère voisine, avec d'autres employées. Quand elles se sont séparées, je lui ai emboîté le pas sans y avoir réfléchi.

Finalement, il ne me fut pas si difficile de lui adresser la parole. Outre qu'elle était d'une nature enjouée et vive, elle possédait cette générosité qui rit pour ceux qui ne rient pas, pleure pour ceux qui ne pleurent pas, sait parler pour ceux qui ne parlent pas, et se taire pour ceux qui veulent être écoutés.

Bref, au fur et à mesure que la soirée passait, Aïcha me devenait moins laide, moins vulgaire. Je me garderai de te dire «plus désirable» car tu auras compris que dès la première seconde je l'avais désirée.

Dès le lendemain, je crois, elle commença à me devenir indispensable. Bien entendu il n'était pas question de le lui montrer, encore moins de le lui avouer. J'éprouvai même un plaisir mauvais à lui annoncer que je repartais par le train le soir même. Je goûtai avec un délice indicible sa petite mine chagrine, la réelle tristesse de ses yeux. Mais j'étais un sot. Là où je croyais éprouver le cruel plaisir de lui faire de la peine, j'avais le simple bonheur de constater qu'elle tenait à moi. Je ne le savais pas.

Le soir, elle m'accompagna à la gare. Elle retenait ses larmes. Nous nous connaissions depuis deux jours et cette fille retenait ses larmes. Impossible d'y croire. Lorsque, au lieu d'aller vers le quai, je l'ai conduite vers un des restaurants de la salle des pas perdus, lorsque je lui ai dit que mon départ était remis, son visage s'est éclairé d'une joie incrédule.

Et je fus à mon tour étonné de la trouver *véritablement* jolie. Tous les aspects de son physique que j'avais cru détester devenaient des attraits, des charmes, des harmonies. Je l'ai adorée quand elle éclata en sanglots de bonheur, quand elle pleurait et riait en même temps. J'ai adoré embrasser ses larmes. Nous avons dîné et avons passé notre deuxième nuit ensemble. T'en souviens-tu, petit frère ? Mes retours tant de fois différés que je mettais au compte de problèmes avec nos transactionnaires ? Ces transactionnaires, c'était Aïcha.

Je ne l'appelais jamais Aïcha. Ce prénom, je ne l'aimais pas. Pour dire la vérité, je le haïssais. *Il lui donnait sa couleur.* Que je haïssais tout autant. Je tentai de l'appeler Soraya. Cela sonnait toujours exotique, bien sûr, mais plus princier, plus persan, moins... Tu vois ce que je veux dire.

– Pourquoi m'appelles-tu Soraya ? dit-elle. Ce n'est pas mon nom !

Je n'oublierai pas son regard, étincelant, blessé, qui ne comprenait pas. Je renonçai à Soraya.

Mais je ne l'appelai plus.

Il s'écoula plusieurs jours de pure idylle. Son travail la libérait de treize à seize heures, puis vers vingt heures. Je savourais ces heures comptées comme le nectar des dieux. Aïcha m'aimait, je l'aimais. Paris m'apparaissait la plus belle ville du monde... Tu te rends compte ! C'est moi qui te dis cela, petit frère ! Moi qui embrasserais et mangerais la terre de ma Collinière ! De notre Collinière.

Vint le jour où elle voulut me présenter sa famille. Après quelques atermoiements, je ne sais pourquoi, j'acceptai.

Nous avons pris (tu ne voudras pas le croire, petit frère !) le RER, et sommes descendus à une station ridiculement appelée « Sevran-Beaudottes »... Je passe sur le RER, sa gare, les barres en béton...

Justement, chez elle c'était dans une barre en béton. Des antennes paraboliques aux balcons, du linge, des vélos cassés, des escabeaux, des piments séchés, des... des... Je n'avais qu'une envie : fuir !

Je l'ai suivie...

Que dire de la suite ? Son père était le gardien. Sa mère était l'épouse. Tous deux parlaient un sabir incompréhensible. Il y avait aussi des sœurs, des frères, et encore des sœurs. Ah, et un chien. Il n'y a guère qu'avec lui que je me sentis à peu près à l'aise.

Je crois qu'on m'a offert le café, une abondance de gâteaux douceâtres, et abreuvé d'une confusion de paroles sans doute aimables mais que j'étais incapable d'écouter. Je sentais le froid de la mort m'envahir. J'imaginais...

J'imaginais cette famille rencontrant la nôtre. Ce gardien, cette épouse, ces sœurs, ces frères, je les imaginais... à la Collinière ! Je fus pris d'une sorte de fou rire macabre. T'en souviens-tu ? Ce soir-là j'ai appelé chez nous pour dire que tout était enfin réglé, que je serais de retour le lendemain. J'étais décidé.

Mais le lendemain je vous ai rappelés pour remettre à plus tard mon retour... Il m'était impossible de la quitter.

Des heures et des heures, mes pensées me

menaient une sarabande infernale. Je ne pouvais me passer d'Aïcha, mais il était absolument hors de question de la faire venir en notre demeure, de la présenter, de parler d'elle même. Je me rappelle qu'un soir, Octave Renoir (ses parents sont commerçants à Dargelos, tu vois qui c'est?) m'avait invité au hasard d'une rencontre rue Saint-Antoine.

Dieu sait si Octave est loin d'être la crème... Il lui manque des dents, son humour n'est pas un modèle de finesse, et il était cancre à faire peur. Eh bien, même à lui, je n'aurais pas montré Aïcha.

Un matin, un homme à la réception demanda à me voir. Aïcha était déjà partie à sa boutique. J'avais un peu traîné, mais j'étais habillé et sur le point de descendre. J'acceptai de le rencontrer en prenant un second petit déjeuner.

Je vis arriver un homme grand, blond, assez jeune, un peu jaune. Il portait une veste destinée à être remarquée. Il me dit s'appeler Ernest Lubin, ce qui me sembla sur-le-champ être un faux nom. Néanmoins je l'écoutai. Il avait des manières douces, une voix gentille.

Je te résume, petit frère : ce type disait connaître Saint-Expyr, il lui *était déjà arrivé de passer devant* notre Collinière, et il avait des relations, quasi familiales, prétendait-il, avec un proche de notre famille. J'ai aussitôt pensé à cette idiote d'Édith. Elle qui trouve des pères différents à ses mômes (et qui, non contente d'avoir eu cette gamine débile et estropiée, allait bientôt se faire engrosser par un Noir ; heureusement cela se termina comme tu sais), cet olibrius à la veste stupéfiante aurait très bien pu la séduire.

Mais non. Ce n'était pas elle, ce n'était pas Édith. C'était... Clara.

— Je suis fiancé à une jeune fille de sa famille. Une jeune fille que vous n'avez jamais vue encore.

Je trouvais ce «encore» confusément sinistre. Il me montra une photo de lui en compagnie de ladite fiancée. J'y jetai un œil poli. Rien de sinistre à vrai dire. Plutôt rassurante même, car insignifiante.

Dessous la photo, il tira d'autres photos... Lesquelles, pour le coup, retinrent mon regard et déclenchèrent un véritable tocsin sous mon pauvre crâne. Sur ces photos, il y avait moi... Moi avec Aïcha. Des clichés qui ne cachaient rien de notre amour. Bien au contraire, le téléobjectif le rendait plus éclatant, plus intime, plus... parlant ! Un choc.

Un choc de nous voir comme dans un miroir ;

un autre de comprendre que ce type voulait me faire chanter.

— Qui, ripostai-je sèchement, les photos de mes flirts sont-elles censées intéresser ?

— Madame Coudrier, votre mère.

Il se pencha vers moi, avec une expression abjecte :

— Puisque cette fille n'est pas un simple flirt, n'est-ce pas ?

Je ricanai.

— J'ai quarante ans passés, mon cher, ma mère ne se préoccupe plus de savoir avec qui je couche.

Il battit des cils avec douceur... et sortit d'autres photos. Aïcha en famille, smala, djellaba et compagnie... Je pâlis, mon café s'échappa de sa tasse.

Il sourit et rangea les clichés en silence. Dès cette seconde, je pris la décision de rompre avec elle. Je m'accordai quelques heures, la nuit, et je me jurai de la quitter. Demain matin.

Ce soir-là, aux environs de 22 heures, alors que nous arrivions ensemble, elle et moi, devant mon hôtel, l'ignoble au large sourire jaillit d'une porte cochère.

Ce qui me contraria, curieusement, ce ne fut pas la pensée qu'il voulait me soutirer de l'argent, mais qu'il avait un « lien » avec la Collinière et qu'il me surprenait, là, en compagnie d'une fille qui, pour ma famille, n'existait pas. Il me salua tel un vieil ami, toisa ma compagne, parut l'apprécier et sourit encore plus largement.

— Moi aussi je suis fiancé, dit-il.

Il fit un signe et, de la même porte cochère, surgit une ombre. C'était la même frêle jeune fille blonde, aux yeux sombres, que sur sa photo. Mais je la voyais mieux, et sa physionomie me troubla. Je ne l'avais jamais rencontrée, pourtant, si j'oubliais son air effrayé, elle m'était étonnamment familière.

— Mariette, ma fiancée.

— Enchanté ! coupai-je rudement. Il est tard et...

La fiancée détourna la tête et le tira par la manche, visiblement mal à l'aise et pressée de partir.

— Comme ça, vous l'aurez vue, susurra-t-il, avant de disparaître avec elle dans la nuit de la rue. À bientôt.

Et dès lors je me mis à penser en meurtrier.

— C'est un ami à toi ? s'enquit Aïcha.

Je grommelai une vague parole. Elle me toucha le front de sa petite main brune :

— Tu as froid. Viens, on rentre.

— Non. Je veux respirer.

Nous avons repris notre marche, silencieux. *Comme ça, vous l'aurez vue.* Que voulait dire mon sinistre personnage? Aïcha finit par s'arrêter sous la lumière en cône d'un réverbère.

— Si tu penses, me murmura-t-elle, si tu crois qu'on ferait mieux de se séparer, dis-le maintenant. Tout de suite. Ou... il sera trop tard pour mon cœur.

Elle avait dû chiper ça dans un roman de gare... mais sa douleur était authentique, primitive, violente. J'aurais pu la quitter là, elle qui me tendait si généreusement la perche! Au lieu de quoi, je l'ai enlacée comme un fou, embrassée comme un possédé que j'étais:

— Il est déjà trop tard, soufflai-je. Trop tard pour le mien!

Je te jure, petit frère, que la littérature de gare n'a jamais traduit plus de ferveur et d'amour que ce soir-là. L'évidence m'étourdit comme un coup de marteau: jamais je ne quitterais Aïcha. Et je fis ce que je ne devais pas faire: j'ai payé mon maître chanteur.

Mais il fallait bien me résoudre à retourner à la Collinière où tout le monde commençait à trouver

étrange mon trop long séjour. Ce fut un arrache-
ment. Et il n'y avait qu'un moyen de tenir : chaque
week-end, j'irais à Paris retrouver Aïcha.

Ce que je fis. Chaque week-end j'allais la retrouver. Je partais sous un motif quelconque. Ou l'on me
croyait à une partie de chasse dans les environs. Je ne
vivais que pour ces instants-là. Je les attendais. Je les
attendais toute la semaine.

Un jour, elle me fit une surprise qui m'épou-
vanta : elle vint jusqu'à la ville voisine. À Dargelos !
Tu imagines ma panique. Elle m'appela, joyeuse, de
la gare pour me prévenir de son arrivée. Je lui fis
une scène, une scène si violente, si affreuse, qu'elle
repartit séance tenante en direction de Paris.

J'étais fou ! Je voulais qu'elle soit là, et qu'elle n'y
soit pas. J'ai pris la voiture, j'ai roulé au-delà des
limites autorisées pour rejoindre sa gare de correspondance.

Là, personne ne me connaissait. Là, je l'ai attendue. À peine sur le quai, j'ai couru pour la soulever
dans mes bras, l'embrasser, la consoler, lui demander pardon. Je l'ai emmenée en voiture du côté
d'Ambrose-la-Chapelle où ma figure est celle d'un
parfait inconnu. La photo que je glisse avec cette
lettre fut prise là-bas, par la réceptionniste de

l'auberge. Aïcha y est vêtue de cette robe rouge dont elle savait que, avec, je la trouvais irrésistible. Je te la confie, cher frère, pour que tu saches un peu (un peu seulement) à quoi ressemblait son visage. Je te l'ai déjà dit : elle est beaucoup plus belle que cela.

J'espérais qu'il serait possible de continuer ainsi. De mener cette vie parallèle, hors de tout, sans repères pour elle, l'aimer, être aimé, la garder comme une faute inavouée (ce que pour moi elle était) longtemps longtemps, pourquoi non ?

Comme j'ai regretté de n'avoir jamais été quelqu'un comme toi ! Toi, tu débarques avec des filles de toutes formes et de toutes couleurs, maman ne les prenait et ne les prendra jamais au sérieux. Et ça durera *ad vitam*, elle s'attend à tout, sauf à un amour sérieux avec toi !

Mais moi… Ce n'est pas ma nature. Tu le sais. Si ces photos lui parvenaient, elle saurait très bien que son fils aîné n'avait pas une tocade, je ne l'ai pas habituée à ça. Elle demanderait à me parler, et alors, à ma seule voix, à mes seuls yeux, elle saurait tout. Que je suis amoureux, éperdument, totalement, amoureux… *de cette fille-là !*

Parfois j'éprouvais colère, ou révolte. En révolte, je décidais de tout dire à maman… pour finalement rester muet comme un mur sitôt que je me trouvais en face d'elle. Ma colère, elle, était pour Aïcha. Je lui en voulais d'être arrivée dans ma vie, d'avoir tout chamboulé, de m'obliger à mentir, en un mot, d'être celle que je voulais... et que je ne voulais pas !

Un matin, je reçus un paquet de photos dont l'ignominie me laissa assommé... Comment ce type s'était-il débrouillé pour violer l'intimité de notre chambre d'hôtel ? Je les ai détruites dans la minute, sans me leurrer. Je l'ai à nouveau payé. Quelques semaines plus tard, il réclama une rallonge. Encore une fois je payai.

Je n'en pouvais plus de cette situation. Je devais en finir. J'ai établi un plan.

Tu te rappelles ce samedi où le Dr Regain est accouru parce que j'avais une sciatique qui me clouait au lit ? En réalité, j'étais en parfaite forme.

À 20 heures le même soir, je prenais la route pour Paris à l'insu de tous. J'avais appelé et donné rendez-vous à Aïcha sous les colonnes de la place de la Nation.

Elle s'y trouvait, évidemment. Elle n'aurait jamais eu l'idée de ne pas être là. J'étais parfaitement calme. Je l'embrassais, encore, et encore, merveilleusement longtemps.

Puis je l'ai fait monter dans la voiture, nous avons roulé jusqu'à une extrémité déserte du bois de Vincennes. Là, j'ai évité de parler, de réfléchir. Quand elle m'a enlacé pour m'embrasser, j'ai sorti le revolver que j'avais emporté et je l'ai tuée. J'ai tué Aïcha.

Je l'ai étendue sur la banquette arrière, tiré une couverture sur elle, laissant dépasser ses cheveux noirs et un peu de son visage, comme une dormeuse...

Je l'ai enterrée ici, à Saint-Expyr, sur un versant de la troisième colline, où l'on voit le soleil se coucher derrière le village. Du jour où elle y fut, j'y suis allé chaque soir que j'ai passé ici.

Je ne sais ce qu'on a dit de sa disparition, ni même si les journaux en ont parlé. Je partis à la chasse plusieurs jours. La douleur, l'intolérable douleur ne survint que bien plus tard, quand je compris que je ne la reverrais jamais... Je me rappelle, cela se passa au moment de tuer une sarcelle à tête brune, lorsque mon doigt pressa la détente. Il pleuvait, j'ai laissé tomber mon fusil et me suis écroulé en sanglots la figure dans la terre.

J'étais prêt à voir surgir la police. J'étais prêt à tout dire. Il m'aurait été tellement moins difficile d'avouer sa mort que son existence ! Aux yeux de maman, cette différence était *essentielle*.

La nuit de mon crime, je suis rentré avant l'aube et j'ai dormi dans un état de quasi-hypnose. Oui, j'ai dormi. Au matin vous m'avez demandé où en était ma sciatique, si j'avais passé une bonne nuit... Pour vous, je n'avais pas quitté ma chambre. Moi... Moi je venais de tuer l'être que j'avais le plus aimé.

Je change de stylo, celui-ci glisse et me donne une écriture tremblée, tu pourrais croire que... et je veux poursuivre, sinon je n'aurai plus le courage.

Mon bonhomme réapparut bel et bien. Un soir que j'entrai dans mon bureau de la Collinière, je le découvris vautré dans mon fauteuil. Le cœur me manqua. Si quelqu'un le voyait, l'avait vu...

— Je suis l'invité de Clara, dit-il placidement. N'oubliez pas que je vais bientôt être de sa famille.

— Dans quelle mesure ? dis-je, irrité. À quel degré ? Qui est votre fiancée pour Clara ?

— Pan ! Dans le vif du sujet ! ricana-t-il. Merci de m'épargner les formes.

Et il sortit... des photos. Décidément. Cette fois, je n'osai ni les saisir, ni les regarder. Je repoussai son bras et elles s'éparpillèrent.

— Celles-ci ne sont pas à... vendre ! persifla-t-il.

Elles m'appartiennent. Cependant, jetez-y un coup d'œil, elles sont très instructives.

La curiosité l'emporta, je les ramassai. On y voyait une femme qui portait un bébé blond dans les bras, puis la même femme avec le même enfant plus âgé, puis les mêmes quelques années plus tard. La femme avait peu changé. L'enfant était une fillette.

Dès la troisième photo, je les avais reconnues et j'avais compris. La femme était Clara, et cette enfant, sa fille que j'avais vue peu de temps auparavant : Mariette, la soi-disant fiancée de mon maître chanteur.

Je ressentis alors le même trouble que lorsque je l'avais vue en chair et en os… cette bizarre sensation de familiarité… de…

Je me mis à transpirer, car une lueur de vérité s'allumait en moi, me donnait froid. Je vis l'ignoble qui m'observait et suivait sur mon visage les cheminements de mon esprit.

— C'est clair ? chuchota-t-il. Oui, je vois que c'est clair. Mais ceci doit rester un secret. Vous êtes d'accord ?

Il m'expliqua que sa pauvre fiancée avait dix-neuf ans, que pour se lancer dans la vie, il lui fallait beaucoup d'argent.

J'étouffais. Non seulement je venais de comprendre *qui* était cette Mariette, mais je comprenais aussi que cet homme n'avait eu qu'un but : me montrer ces photos-là. Son chantage autour d'Aïcha avait été anecdotique. Il ne l'intéressait pas, sinon pour mieux installer sa toile.

J'étouffais de haine et de souffrance d'être tombé dans son piège, de penser que tuer ou non Aïcha n'aurait rien modifié. La proie de cet homme était notre famille. Les Coudrier.

Après une pause, je tentai de lui donner le change :

— En quoi, dis-je posément, le sort de cette demoiselle doit-il me concerner ?

Il hurla de rire. Je lui fis signe d'être moins bruyant. Il plongea le nez dans un mouchoir et continua. J'aurais pu le tuer à cet instant-là ! Mes mains se tendirent... il se redressa :

— Mais parce que Mariette Toulouse est la fille de Clara Toulouse et de votre père Henri Coudrier ! Votre petite sœur, par conséquent !

Il eut une expression abjecte :

— Inutile de dire que madame votre mère ne sait absolument rien de tout ça.

L'existence de cette fille illégitime ne me sur-

241

prenait qu'à moitié. Papa avait été un grand et séduisant sportif, et même dans sa maturité il trimbalait encore toute l'armada du mythe avec lui, et ne se privait pas d'en jouer et d'en abuser.

Ce qui me peinait c'est que maman pût apprendre une telle trahison. Henri *est* l'homme de sa vie (mon père biologique à moi ne fut qu'un médiocre épisode).

Ernest Lubin abattit sa carte finale : la menace d'un contrôle ADN… J'ai payé.

Je n'eus plus aucune nouvelle de lui des semaines durant. Mais je me mis à épier la figure de Clara afin d'y déceler la moindre expression de rouerie, des traces de perfidie. Mais rien. Elle ignorait totalement et sincèrement ce que le fiancé de sa fille, et sa fille probablement, tramaient. Clara demeurait ce qu'elle avait toujours été : une servante aussi dévouée qu'ignorante, aussi brave que bête.

Quant à notre père, je le contemplais avec mépris. Comment avait-il pu tromper notre mère avec cette femme pitoyable, même de dix-neuf ans plus jeune ? Comment pouvait-il prétendre aimer notre mère et nous octroyer une sœur avec une misérable domestique ?

— Qu'est-ce que tu as ? Tu pleures ? fit la voix si identifiable d'Annette près de moi.

Je sursautai et posai sur elle un œil fixe et hagard. Elle leva la main et me caressa le visage de ses petits doigts tordus par la malchance. J'ai réagi, je me suis essuyé les joues avec la manche de mon sweat.

— Pourquoi tu pleures ? C'est triste ce que tu lis ?

Je l'ai serrée contre moi très fort. Pourquoi je pleure, petite Annette ?

Je pleure parce qu'un mec abject a écrit de toi « môme estropiée débile ». Je pleure sur lui qui se croyait supérieur au point d'avoir honte d'aimer. Au point d'éliminer la femme qu'il aimait parce qu'il trouvait cet amour embarrassant. Quelqu'un qui se disait fort et « sans mièvrerie » alors qu'il n'avait qu'une terreur : le jugement des autres car lui-même ne savait que les juger, et qu'il n'avait qu'une crainte, celle de sa mère, notre Mamigrand qui nous chérit tant parce que nous sommes de son clan, de son sang, mais qui sait être si dure, si peu indulgente, si pleine de haine et de mépris.

Il n'y a qu'à voir le regard qu'elle pose sur toi, petite Annette. Comme si (qu'il m'est éloquent à présent ce regard!) comme si elle voulait que tu sois morte au lieu d'être si joyeuse et si vivante parmi nous.

— Il était beau, hein, le feu d'artifice?

— Oui.

Son farfouillis verbal rebaptisait « feu d'artifice » en « œuf-datte qui pisse », mais je n'ai pas souri.

— Mamigrand, elle m'envoie pour que tu nous aides à rentrer les tables et tout.

— Les invités sont partis? demandai-je, surpris.

— Il reste que Blaise et son chien.

Je m'essuyai la figure une dernière fois. J'ai plié les feuillets de la lettre de l'oncle Dimitri. Il m'en restait encore six ou sept à lire.

Je pris Annette par la tresse, doucement, et descendis avec elle.

— Ah! s'exclama Mamigrand de la cuisine. Tu as regardé le feu d'artifice d'en haut? Pas bête. En attendant, fais comme tout le monde, mets la main à la pâte!

Dans un coin, Papigrand range son jeu d'échecs.

Clara et son neveu secouent les nappes là-bas, sur les pelouses. Clara et Papigrand... Qu'éprouvent-ils à présent l'un pour l'autre? C'est Clara qui le soignait juste après son accident. Normal, c'est une... servante.

J'ai envie de la prendre dans mes bras, je m'en veux de n'avoir pas été assez gentil avec elle. Dix-neuf années à cacher et à élever seule cette enfant. Leur enfant. Je me demande tout à coup ce que l'enfant de Clara et de Papigrand est pour moi... voyons, si elle devient la sœur de maman, c'est donc qu'elle est... ma tante !

J'en reste comme deux ronds de praline.

Blaise et maman. Des paroles de Mamigrand me reviennent : « Comment peut-il espérer, ce paysan, avec ses bretelles écossaises ? »

Et je me sens empli de honte d'avoir joué, sans le savoir, le jeu méprisant de Mamigrand.

Le seul qui paraisse à l'aise, c'est oncle Gil. C'est un stratège du hasard, il vit sa vie comme il l'entend en ayant l'air de se plier aux règles. *En ayant l'air.*

— Alors ? chuchote une voix à côté de moi tandis que je déplace deux chaises pliantes.

— Alors quoi ? dis-je.

— Qu'est-ce qu'on fait ? On parle à la famille, maintenant que l'anniversaire est fini ?

Je dévisage Madeleine un certain temps avant de comprendre le sens de sa question...

Bon sang! J'ai complètement oublié le type dans le cagibi!

— On en reparle plus tard, d'accord? Demain matin.

— Mais si...

Je lui montre la clef qui a fermé le cagibi.

— Personne ne pourra le changer de place cette fois. Même pas l'assassin.

COLIN-SIX ANS

Il s'était encore enfui!

Colin-Six ans posa la tasse de lait qu'il avait à peu près réussi à transporter jusqu'à ce qui avait été la cachette de Diable et Daniel Webster. Les Kyytwwug avaient dû s'arranger pour le faire fuir.

Colin-Six ans posa la tasse sur l'herbe, et s'en retourna à la maison où il fut intercepté par Clara.

— Allez, zou! dit-elle. Un lait chaud, un bain chaud et hop, au lit!

Elle l'empoigna avec sa rudesse affectueuse, et le monta dans sa chambre pour appliquer le programme annoncé. Il se laissa faire afin que les choses aillent plus vite.

Puisqu'il avait décidé de se relever.

MADELEINE

La nuit est aussi claire que mon cerveau est embrouillé. Blaise vient de partir… Je l'ai vu (Hermès aussi l'a vu) qui tentait d'embrasser Rose, mais elle s'est dégagée en lui montrant qu'ils n'étaient pas seuls sur le perron.

— Clara ? a lancé Mamigrand. Maintenant que tout est débarrassé et à peu près propre, vous n'aurez qu'à donner un coup de balai demain matin avant que toute la maison se lève. Il me vient une idée… Si l'on dressait dès maintenant les couverts du petit déjeuner ?

— Oui, fit Clara.

— J'ai peur qu'avec tout ce monde on soit à l'étroit dans la cuisine. Qu'en pensez-vous ?

— On peut les installer dans la salle à manger, dit Clara qui ne fait que suggérer une chose qui se fait chaque année. Sur la grande table.

Notre Clara a le visage fatigué. Avec l'anniversaire, elle n'a pas arrêté de la journée.

— Je vais t'aider, lui dis-je.

Meyer est passé devant moi pour ouvrir le grand buffet qui contient la vaisselle. Il s'empare d'une première pile de soucoupes et me la tend en silence.

CE QUI SE PASSA CETTE NUIT-LÀ
(QUAND TOUT LE MONDE,
OU PRESQUE, DORMAIT)

DIMITRI (SUITE DE LA LETTRE)

Deux semaines plus tard, un événement bouleversa le rythme tranquille de la Collinière. Tu avais à peine quitté la maison que notre sœur Édith débarqua comme elle seule sait débarquer, en catastrophe, à coups d'éclats de rire intempestifs et de mutismes incongrus.

Elle nous avoua enfin qu'elle était enceinte, qu'elle était heureuse, qu'elle aimait beaucoup le père... Nous échangions des regards atterrés avec maman. Papa, lui, lisait, absent comme à son habitude. Clara qui était là aussi n'osait lever les yeux.

– Qui est ce père ? demandai-je bientôt.

Édith rougit si violemment et demeura si long-temps muette qu'il me vint le soupçon qu'il y avait quelque chose d'inavouable...

Après un regard entendu, maman et moi avons démarré le feu des questions. Cette idiote d'Édith finit par craquer et nous confessa : le père de cet enfant travaillait en Afrique, il était venu en mission en France, elle l'avait rencontré je ne sais où, était tombée follement amoureuse de lui, puis il était reparti... en oubliant de donner son adresse.

Maman leva les yeux au ciel et soupira.

— Mais je veux le garder! répétait Édith. Je veux garder cet enfant...

Le père des jumelles était, comme tu sais, un homme marié qui n'a jamais voulu divorcer ni reconnaître les petites. Le père de Colin, lui, a le bénéfice du doute: il s'est tué à moto. Peut-être fuyait-il sa paternité toute neuve... Mais tu vas dire que je suis mauvais. Toujours est-il qu'Édith nous refaisait une troisième fois le coup du père inconnu! C'en était trop.

Maman la tança. Mais bien entendu Édith ne l'écouta pas. Saisie d'une brusque suspicion, maman la questionna:

— Il travaille en Afrique... Il est africain?

— Que veux-tu qu'il soit? rétorqua Édith.

Silence. Maman prit une respiration.

— Est-ce que sa peau est... noire?

Édith éclata en cris de colère.

— Et alors? Qu'est-ce que ça change? Oui, il est noir et je garderai son enfant! Notre enfant! Qu'est-ce que ça fait?

Maman est retombée dans son fauteuil, effon-

drée. Je ne me sentais guère mieux. Papa s'était atta-
blé devant son « solitaire » en onyx, plus absent que
jamais.

Après une discussion d'une rare violence, Édith
resta assise, ne bougeant plus, recroquevillée en
larmes au pied du canapé.

— Je garderai cet enfant, ne cessait-elle d'ânon-
ner. Et son père le reconnaîtra !

— Ça ! ricana maman, il y a des chances qu'il le
reconnaisse à la couleur !

Papa lui lança un bref coup d'œil. Avec un
gémissement, Édith s'écroula définitivement.

Maman avait raison. Comment annoncer la
naissance d'un enfant noir aux bonnes gens de
Saint-Expyr ? Dans la respectable famille Coudrier !
C'était rigoureusement impossible ! Impensable !
Inimaginable !

Édith rampa pour aller secouer le bras de papa.

— Papa... papa, explique-leur ! Aide-moi, toi !
Sois de mon côté !

Il ne dit rien. Enfin, si. Il grommela :

— Tu dois obéir à ta mère...

Édith se redressa et frappa le canapé à deux
poings.

— Je te déteste ! hurla-t-elle. Tu te ranges toujours à ce qu'elle dit! Je te déteste! Je vous hais tous!

Elle nous lança un regard que je n'aurais su analyser, peut-être y mit-elle du mépris, de la déception. Peu importe au fond. La conclusion est qu'après des jours et des jours de «travail», de pressions et de persuasions, avec l'aide du Dr Regain qui lui prescrivit une cure de sommeil et de tranquillisants, Édith finit par nous obéir.

Elle ne garda pas le bébé.

Après, elle se mit à être malade et ne quitta plus le lit. Elle se mit à nous raconter que les plafonds s'abaissaient, que ses vêtements n'étaient pas les siens mais des copies qu'une personne malveillante cousait la nuit pour lui ressembler et prendre sa place. Des choses aberrantes. Moi qui suis un pragmatique, je suis toujours surpris et admiratif devant les délires de l'imagination!

À vrai dire, je crus qu'Édith nous jouait la comédie jusqu'à ce que le Dr Regain ordonne son hospitalisation.

Le matin où l'ambulance l'emporta, mon maître chanteur réapparut. Il m'attendait sur la route, il arrêta ma voiture. Je l'emmenais au relais routier de Jaunay-François où les figures nouvelles ne surprennent pas. Il mâcha placidement une saucisse grillée et des frites. Je pris un café que je ne bus pas. Je regardais cette crapule au visage frais et enfantin. Je le regardais manger ses frites une à une, et tandis qu'il mangeait je nourrissais mon cerveau de son assassinat. En dix minutes, je le tuai mille fois, de mille manières.

— Cette situation ne peut pas durer, dis-je.

— C'est bien mon avis. Finissons-en. Donnez-moi…

Il avança un chiffre qui me fit passer de la stupéfaction au rire. Il rit aussi, tout en précisant qu'il ne riait pas, que c'était sérieux. Ou je lui donnais cette somme qu'il exigeait, ou… «… ou bien je raconte que votre mère a rendu infirme votre père!»

Il mesura son effet par-dessus ses mâchouillis de saucisse. «Mon père, dis-je enfin, la voix faible, mon père a eu un accident de voiture un soir de tempête.» Il ricana d'une telle façon que j'en eus froid dans le dos. «Votre mère conduisait. Elle n'a rien eu, elle. Pas une blessure. Pas une égratignure. Ce n'est pas bizarre?» Je lui demandai quelle preuve il avait. Il me rétorqua que tout le monde savait que cette nuit-là papa et maman s'étaient violemment disputés. Maman avait, d'après lui, appris la relation de Clara avec papa, et la naissance de la petite Mariette. Papa annonçait à maman qu'il allait la quitter. Non pour vivre avec Clara qu'il n'aimait pas, mais pour respirer, vivre libre, ne plus étouffer dans cette Collinière. « Votre mère lui mendia deux semaines, le temps de régler les affaires, de préparer les esprits... Votre père y consentit. »

« Mais le lendemain, il y eut l'accident. Votre mère conduisait votre père chez le médecin. Il avait eu, prétendit-elle, un malaise dans la nuit. Elle était si nerveuse, si bouleversée, et la tempête aidant, elle avait raté un virage de la colline. La voiture fit trois tonneaux dans le fossé. »

« Ce sont les faits. Rien qui accuse ma mère ! » dis-je à la crapule.

« Sauf, dit-il, que votre mère a un journal intime dans lequel elle explique qu'elle n'est pas une femme que l'on quitte, comment elle renonça à sa carrière pour lui, comment elle ferma systématiquement les yeux sur les liaisons qu'il entretenait, comment elle décida de se tuer en s'envoyant au bas de la colline, avec son mari, d'un coup de volant bien préparé. Vous voulez lire ? J'ai une photocopie. »

Comment l'avait-il obtenue ?

Je jetai un coup d'œil, je reconnus l'écriture. Il avait subtilisé un des cahiers de maman.

L'ignoble me scrutait, tout sourire. Ce sourire signait son arrêt de mort. Où pouvais-je lui remettre l'argent ? À son hôtel. Il m'y donna rendez-vous le lendemain à l'heure du petit déjeuner. « Je suis un sentimental et un superstitieux, me dit-il. Notre première entrevue a eu lieu lors de votre petit déjeuner dans cet hôtel à Paris, je vous propose, pour cette dernière rencontre, de venir à mon hôtel à l'heure du petit déjeuner, qu'en dites-vous ? »

Il était si satisfait de lui-même, si empli d'une obscène complaisance que je me retins de le prendre au cou et de l'étrangler séance tenante. Mais le petit déjeuner m'avait fourni une idée d'arme de crime.

Le soir même je subtilisai l'anti-taupes dans l'appentis du jardinier. Une solution à base de cyanure, à effet foudroyant. Mais je ne pouvais me balader avec la bouteille entière. Au reste, je n'avais besoin que d'une infime quantité, sa toxicité était si forte que quelques gouttes suffiraient.

Je cherchai un contenant discret, petit, maniable, incassable. Il n'y avait rien dans l'appentis. Dans la maison, je ne dénichai rien jusqu'à ce que j'eusse l'idée d'aller fouiner dans la pharmacie très fournie d'Édith, Édith qui était encore à l'hôpital à ce moment-là. J'y découvris exactement ce que je désirais : du Rhinirhume. Un flacon de gouttes nasales en plastique souple et à embout pointu. C'était maniable, pratique, facile d'usage.

Le lendemain j'arrivai à l'heure à notre rendez-vous. Mon escroc portait un pyjama de satin lie-de-vin à rayures crème, une veste d'intérieur assortie, apparemment il savait utiliser l'argent qu'il me soutirait. « Je vous attendais pour commencer », me dit-il avec ce large sourire enfantin si déplaisant. Il me proposa un café et des viennoiseries que j'acceptais. Mon flacon de Rhinirhume dans la poche de ma veste.

Je réussis à verser une douzaine de gouttes (de quoi éliminer une équipe de rugbymen) dans sa théière lorsqu'il se leva pour aller chercher le journal intime de maman. « Comment l'avez-vous eu ? » demandai-je.

Oh, ce sourire !... « Il m'arrive de me promener dans les maisons inconnues, susurra-t-il. J'adore. On y trouve des choses intéressantes... et utiles. »

Ainsi cet individu révoltant était entré chez nous ! Avait fouillé dans nos affaires ! « Quel être

abject êtes-vous pour oser faire ce que vous faites ? »
Il me regarda. « Et vous, dit-il. Quel être abject êtes-
vous pour avoir tué cette pauvre fille ? »

J'en demeurai pétrifié. Je tentai de reprendre
mon calme autant que je le pouvais.

« De quoi parlez-vous ? » soufflai-je.

« De cette pauvre pâtissière, cette jeune Tuni-
sienne folle amoureuse de vous. J'ai eu l'occasion de
lui parler. Elle m'a dit qu'elle savait bien que vous
aviez honte d'elle, ça la rendait très malheureuse,
mais elle vous aimait et elle espérait vous faire changer. On ne peut pas dire que vous lui en ayez laissé
le temps, hein ? » Je me suis jeté sur lui d'un bond,
et l'ai agrippé au col. « De quel droit ? ai-je hurlé.
De quel droit lui avez-vous parlé ? » L'inévitable
sourire. « J'aime suivre les gens, les écouter ; ça aussi
ça peut se révéler utile. Le soir où vous l'avez tuée,
j'étais là, je vous suivais. Je vous ai vu. J'avoue avoir
hésité. Lui porter secours ? Je ne suis pas une force
de la nature. Et puis ça pouvait me servir… Je vous
ai regardé la tuer. Bang en plein cœur. »

Ma fureur explosa. Ce fut plus fort que moi, je
lui donnai un coup de poing puis une série d'autres.
Il s'effondra sur le plateau du petit déjeuner qui vola
par-dessus le lit et alla se retourner sur le tapis dans

un fracas de couverts et de porcelaine. Je lui jetai une liasse de fric qui s'éparpilla sur sa tête et je partis en claquant la porte.

C'est seulement dehors que je me souvins de la raison de ma venue. Mon projet de tuer. La vision de la théière renversée sur le tapis vint me rappeler que j'avais tout raté, tout échoué. Je savais que je n'aurais pas le courage de me donner une autre occasion de le tuer, que je resterais à sa merci. Mais de cela non plus je ne m'en sentais pas la force. Pas après ce que je venais d'apprendre sur maman.

Tu te demandes, petit frère, pourquoi je t'écris cette lettre et te raconte tout ça ? J'ai décidé de quitter la Collinière pour un très long temps, plusieurs années sans doute. J'embarque la semaine prochaine sur *Belle de Rochefort,* mon bateau, pour naviguer hors de ces eaux troubles. J'avoue ne plus pouvoir supporter la tyrannie de maman, ni la faiblesse de papa. D'autant que les voir ensemble me jette à la face une comédie de dix-neuf années, la comédie du couple uni où maman se réserve le beau rôle de l'épouse qui a tout sacrifié ; une comédie que papa se montre assez veule d'accepter. C'est au nom de cette mascarade que j'ai tué Aïcha, et cette pensée me donne la nausée.

Je n'aime plus vivre depuis sa mort.

Peut-être irais-je la rejoindre… Je ne ferai rien pour, mais ne ferai rien contre. La mer décidera pour moi.

Voilà. Je voulais que tu saches tout.

Je veux surtout que tu dises à ses parents, que tu leur expliques… Mais non, bien sûr, il n'y a aucune, *aucune* explication ! Il n'y en aura jamais ! Un crime ne peut pas en avoir ! Non, dis-leur que j'ai aimé leur fille, qu'elle fut la première, qu'elle fut la seule, dis-leur que je l'aime toujours. Dis-leur que je saigne sans elle et que, par cette douleur, je suis maintenant des leurs.

Tu vois, nous sommes différents. Toi, tu aurais le courage de faire front, de crier sa culpabilité à notre mère, sa lâcheté à notre père. Moi, je me sais trop coupable et lâche moi-même. Tu vois, je suis un insensible. Je t'embrasse petit frère. Conserve bien cette photo d'elle dans sa robe rouge. C'est une des rares preuves de notre histoire.

Je l'ai fait si peu exister !…

À Saint-Expyr, le 3 mars 19…

Ton frère Dimitri

Les feuilles beiges sont tombées de ma main sur le lit, mais mes yeux ont continué de fixer droit devant comme s'ils lisaient encore.

C'est terrible mais je n'éprouvais aucune pitié pour oncle Dimitri. S'était-il noyé par accident? Volontairement? Je m'en foutais désormais. Je ne le détestais pas, c'était un pauvre type au fond, mais je ne pouvais plus l'aimer comme avant.

Même chose pour Mamigrand. Je ne m'étais jamais posé la question si je l'aimais ou non. Elle était ma grand-mère. La mère de ma mère. Mais en vérité, je devais l'avouer, elle m'avait toujours fait un peu peur. Le seul dont j'aie pitié, c'est Papigrand. Et encore, je ne sais pas si c'est exactement cela, si ce ne serait pas plutôt du mépris.

C'est égal, songeais-je, si cette lettre est adressée à Gil, que faisait-elle dans le semainier de mes grands-parents? La cachaient-ils tous les deux? Ou l'un des deux seulement? Et en ce cas lequel? Mamigrand? Papigrand?

Et oncle Gil? Était-il au courant de l'existence de cette lettre?

Cela faisait de chacun des trois un suspect possible dans la mort du maître chanteur. J'avais surpris Papigrand avec lui ce matin. Mamigrand, elle, avait l'« accident » à se reprocher. Ce type la faisait-il aussi chanter ? Et Gil ? Le maître chanteur pouvait aussi l'avoir contacté.

Un souvenir me frappa, brutal comme un coup de poing au ventre. Le flacon !

Je courus fouiller mon pantalon suspendu. Dans la poche se trouvait toujours le flacon de gouttes nasales… Je lus l'étiquette. Le nom était bien Rhi-nirhume !

La coïncidence était troublante. Était-ce le même flacon que celui d'oncle Dimitri ? Si oui, celui-ci contenait du cyanure… En ce cas, l'homme projetait-il d'en faire un instrument de chantage, ce qui expliquait que l'objet était en sa possession ?

Il n'avait pas pu être empoisonné avec, puisqu'il avait été poignardé ou tué par balle. Il faut dire que ni les petits, ni moi, ni même Mado, nous n'avions eu tellement le courage d'observer la chose de près. Une chose était sûre : il avait saigné. Les taches sur son polo en témoignaient.

Une image me revint, fulgurante, en boomerang. Lorsque Madeleine et moi avions remis le corps dans le cagibi, les taches étaient toujours là mais…

J'avais alors noté leur drôle de teinte violette… leur drôle de teinte violette…

Je sautai, fébrile, dans mon pantalon, mes baskets et mon pull, et je descendis au rez-de-chaussée.

Il était toujours là, dans le cagibi.

COLIN-SIX ANS

Il y avait la lune et, par la fenêtre ouverte de sa chambre, on voyait tout assez nettement. Le seul endroit flou du paysage, c'étaient les Frissons qui fumaient…

Accoudé à la rambarde, Colin-Six ans scruta la nuit, à la recherche d'une ombre qui aurait bougé, d'une silhouette de renard qui aurait marché… Il ne voyait, tout là-bas là-bas, que les citrouilles sur la pelouse de Mrs Tashleen, leurs sourires qui grimaçaient d'une joue à l'autre, au rythme de la flamme des bougies.

Son cœur bondit. Une silhouette qui marchait… il en voyait une ! Mais la joie du petit garçon retomba. C'était un chasseur. Un chasseur avec un fusil. Ce méchant Blaise Rivière peut-être ? Non… La silhouette n'avait pas de chien. Il attendit encore, son œil fouillant la nuit claire, ses deux oreilles aux aguets.

Enfin, il aperçut quelque chose. Quelque chose d'étrange qu'il n'avait encore jamais vu, mais il comprit que c'était un signe… Le tout était de savoir si ce signe lui venait des cruels Kyytwwug à face violette ou des gentils Ghwilltt à bonnets rouges.

Il scruta l'horizon du champ labouré. Pas de doute. Là, contre la ligne bleu crème du ciel, au-dessus des ténèbres de la terre, M. Bouh! l'épouvantail lui faisait coucou! Agitant un bras, parfois les deux, mais bel et bien à son intention à lui, Colin-Six ans, ça il en était certain.

Il attendit… Il ne rêvait pas : M. Bouh! continuait de le saluer joyeusement!

Alors le petit garçon quitta sa balustrade, enfila son pantalon par-dessus son pyjama, ses chaussures (celles où il n'y avait pas de nœuds à faire) sans ses chaussettes, et, dans le profond silence, il sortit de sa chambre par la fenêtre. C'était facile, il l'avait déjà fait quand il était somnambule…

Une vieille mais puissante vigne vierge recouvrait la façade. Colin-Six ans la descendit dans de légers bruissements, un pied après l'autre…

Il partait répondre à l'appel de M. Bouh!

MADELEINE

Je rêvais de… oh je ne sais plus de quoi, je ne me souviens jamais de mes rêves, mais l'impression que j'en eus en me réveillant est que c'était moyennement agréable.

Deux mains étaient agrippées comme des araignées blanches à mon bras et me secouaient.

— Chut! m'ordonna la voix d'Hermès à mon oreille. Tout le monde dort et j'ai un truc à te proposer.

J'ai allumé la lampe et me suis assise sur mon lit.

— À cette heure-ci? Mais je suis une fille honnête!

Cet idiot, il a rougi.

— Raconte, dis-je.

Il m'a expliqué son plan. Il le gambergeait depuis des heures. Au fur et à mesure qu'il parlait, j'écarquillais de plus en plus grands les yeux, et je sentais une chair de poule monstrueuse envahir mes bras et mon échine. J'ai murmuré :

— Tu es… cinglé! Jamais je n'irai faire ça!

Ses yeux brillaient, ils étaient rouges. Il avait dû pleurer.

— C'est le seul moyen, Mado! Le seul! Et il faut

le faire tout de suite ! Pour que le coupable se dénonce lui-même. Mais avant, il faut que tu lises ça...

Il me tendit des lettres — ou une lettre très longue ? En tout cas, ça faisait un paquet de feuilles.

— Là, maintenant ? dis-je. C'est urgent ?
— Terriblement.

COLIN-SIX ANS

Les bras de M. Bouh ! semblaient pris d'une vraie frénésie. Sa veste emplie de paille et ses manches s'agitaient de soubresauts épileptiques, de postures étranges. Colin-Six ans se mit à courir. Une lune bienveillante, ovale, blanche et claire, lui montrait la route entre les sillons.

La terre était molle dedans, craquante dessus, comme la croûte et la mie d'un pain. À chaque pas, après un bref instant de fermeté, Colin-Six ans s'enfonçait jusqu'aux mollets.

Devant l'épouvantail, il s'agenouilla. Les manches cessèrent de bouger. M. Bouh ! observa l'enfant du bord de son chapeau à bosses.

Colin-Six ans n'avait pas très peur car il devinait ce qu'il allait trouver… Il patienta un petit moment.

– Diable et Daniel Webster, chantonna-t-il comme une formule magique, Diable et Daniel Webster, est-ce que tu es là?

Un temps d'attente s'écoula. Sur le même ton, Colin-Six ans répéta:

– Diable et Daniel Webster, tu es là? Si tu es là, montre-toi.

Il se montra. Le renard coula son museau effilé hors du pan de la veste, son œil noir flamboya.

Colin-Six ans se redressa doucement, et doucement tendit un doigt vers l'animal qui ne bougeait pas. L'enfant approcha davantage sa main… et alors, le renard dressa le cou et se mit à lui lécher les doigts.

Un flot d'amour chaud, immense, emplit le cœur du petit garçon, il n'osa plus respirer, ni remuer, ni parler. Il resta ainsi très longtemps, la main tendue vers l'animal qui venait de lui offrir enfin son amitié.

Colin-Six ans fit un pas. Le renard le laissa approcher. Sa tête sortit de la poitrine de M. Bouh! comme le Petit Chaperon rouge de l'estomac du loup quand le bûcheron la délivre d'un coup de coutelas.

Colin-Six ans tendit les bras et, ô bonheur! le renard sauta contre lui, s'y pelotonna. Lorsque l'enfant le caressa, l'animal se laissa faire.

Une explosion, soudain, illumina la nuit. Un vent aigu siffla à l'oreille de Colin-Six ans. Il y eut une seconde explosion, sitôt suivie de la sensation incongrue que quelqu'un le poussait violemment en arrière.

Il tomba sur le dos, retenant toujours le renard dans ses bras. Il eut très chaud subitement, au cou, à la poitrine, aux doigts...

Le silence l'enveloppa comme une couverture.

Il tenta de se remettre debout, mais impossible. La lune tout là-haut se mit à prendre une drôle de couleur, un peu rouge.

Ensuite il entendit les chiens et puis il vit les lumières.

MADELEINE

Hermès me serrait la main très fort. C'est moi qui avais d'abord pris la sienne, les garçons ne savent pas faire ça avec simplicité. Mais lorsque mes doigts ont entrecroisé les siens, j'ai senti comme de la gratitude.

Ce que nous allions faire était horrible. D'ailleurs il n'aurait jamais osé le faire seul. Il fallait deux courages au moins. Voilà pourquoi on était ensemble.

La maison était enfouie dans les ténèbres et son silence. Nous ne pourrions allumer que lorsque nous serions au rez-de-chaussée.

Au premier, alors qu'on passait devant l'une des chambre d'amis, sa main a étreint la mienne :

– Chut, souffla-t-il. Cette chambre n'est pas vide, c'est là qu'ils ont emporté tante Édith tout à l'heure.

Tante Édith… Maintenant que j'avais lu la terrible lettre de l'oncle Dimitri, je comprenais son geste de désespoir et de révolte, ce soir. En jetant sa vieille poupée au feu, elle avait matérialisé la mort de son bébé, elle accusait Mamigrand et Papigrand, elle les mettait devant leur crime. Pas consciemment, bien sûr ! Peut-être même était-ce très confus…

Ils ne lui avaient pas donné le choix, ils l'avaient obligée à ne pas garder cet enfant qu'elle voulait.

Ils… C'est-à-dire Mamigrand par son rejet pavlovien de ce qui était étranger, différent, non convenu. Dans le meilleur des cas cela se traduisait par un sarcasme (les bretelles de Blaise Rivière par exemple) et, dans le pire, c'était la décision de faire avorter sa fille qui portait l'enfant d'un homme à la peau plus foncée que la sienne...

Ils... C'est-à-dire oncle Dimitri qui se prétendait d'un caractère fort et insensible mais que sa médiocrité, son indécision, sa mollesse avaient poussé à tuer une innocente. Son seul acte de courage avait été une lâcheté : il s'était enfui...

Ils... C'est-à-dire Papigrand. Faible lui aussi. Et désarmé. Que savait-il exactement de son « accident » ? Fermait-il lâchement les yeux sur le crime de sa femme ?

Ils étaient donc comme ça ces adultes qui auraient dû nous donner l'exemple de la dignité ! Ils ne faisaient que semblant ! Que nous mentir !

La main d'Hermès quitta la mienne. Nous étions au rez-de-chaussée devant le cagibi.

— Ça va ? Tu te sens prête ?

— Euh...

Le cœur me tournait. Pas seulement à cause du mort. Je courus au cabinet de toilette à l'autre bout du couloir.

Quand j'en ressortis, au bout de longues et douloureuses minutes, j'avais abandonné mon affection pour Mamigrand, pour Dimitri et pour Papigrand, en un lieu où elle demeurerait désormais, je veux dire au fond des W.-C., avec ma bile et les morceaux de tarte à la citrouille.

— Ça va? redemanda mon cousin lorsque je revins.

Il avait allumé l'ampoule qui éclaire le dessous de l'escalier, c'était plus discret. Il a ouvert le cagibi. Ses mains tremblaient... La clef tomba. Nous nous sommes regardés quelques secondes durant. Le bruit avait-il réveillé...? Hermès a éteint l'ampoule. J'entendais sa respiration dans la nuit et la mienne, inquiètes et pressées. J'avais moins peur, en vrai, de voir descendre un membre de la famille que de cet homme enfoui dans les entrailles du cagibi dont l'ouverture se découpait, large comme une bouche, contre le noir du couloir, en plus noir encore.

Personne ne bougea. Hermès ralluma.

— Ça va? dit-il pour la troisième fois. Mais cette fois cela signifiait « on y va? »

Nous avons tiré les pieds, chacun une cheville.

— Qu'est-ce que vous fabriquez? fit une voix derrière nous.

J'ai fait le bond le plus formidable de ma vie!

Les jumelles se tenaient au bas de l'escalier, côte

à côte, leurs tresses toutes raides de chaque côté de leurs joues.

— Qu'est-ce que vous faites là ?

— Et vous ? rétorqua Annette de sa voix spéciale.

— Chuuuuuut ! lui avons-nous chuchoté d'un seul élan (même Violette).

Annette a du mal à parler bas. Sa sœur a répété pour elle, doucement :

— Et vous ? Vous faites quoi ?

Hermès et moi on s'est entre-regardés. Maintenant qu'elles étaient là, autant leur expliquer.

— Voilà, dis-je. On va allonger ce... enfin ce monsieur mort sur la table de la salle à manger et...

— Sur la table de la salle à manger ?! répétèrent les jumelles épouvantées.

— Chhhhhhut ! leur fit Hermès.

— Ensuite, ai-je continué dans un murmure, nous allons réveiller la maison. Toute la maison. On veut provoquer un choc. Pour que le coupable craque et avoue.

— Vous... croyez ?

— On l'espère.

Un profond silence a suivi mon explication. Comme si le fait de l'avoir formulée à haute voix lui donnait un degré supplémentaire dans l'horrible.

— Allons-y, soupira enfin Hermès.

C'est bête, mais les jumelles avec nous, j'avais moins la trouille du bonhomme mort. J'ai demandé :

— Vous savez si quelqu'un d'autre est réveillé ? Colin-Six ans ?

Je n'avais pas envie que ce pauvre gosse nous surprenne dans notre besogne macabre. Quant aux autres, les adultes, ils devaient venir uniquement quand… on les sonnerait. Annette secoua la tête pour dire non (elle n'osait plus parler). Puis Violette et elle échangèrent un regard et se mirent à pouffer. C'était abominable, on aurait juré qu'elles avaient déjà oublié le type dans le cagibi.

— La ferme ! dis-je tout bas mais avec violence. Arrêtez de ricaner comme des niaises !

— C'est parce que tout à l'heure on a vu…

— Tais-toi ! coupa Annette de sa voix de stentor.

— Chhhuuut…

— D'accord, je ne dis plus rien ! dit Violette.

— Qu'est-ce que vous avez vu ? demanda Hermès.

— Je ne dis plus rien ! répéta Violette.

On n'a pas insisté, on avait plus urgent à s'occuper.

Le plus dur, ce fut au moment de hisser le corps sur la table. Avec Violette et Hermès, on a repoussé les couverts du même côté... ça devait faciliter l'opération.

On a d'abord tenté d'installer le monsieur sur une chaise, mais il ne voulait pas s'asseoir, il était trop raide. Alors on l'a basculé en avant sur la nappe, et quand on a voulu le soulever, la nappe a glissé de l'autre côté et manqué tout faire valdinguer sur le parquet. On a arrêté, morts de frousse.

Finalement, en tenant le bonhomme aux quatre points cardinaux, on a réussi à le hausser et à l'étendre le long des couverts, des tasses et des soucoupes.

Il était sale. Il y avait des feuilles et de la terre sèche accrochées à ses habits. J'ai allumé le lustre qui se trouve exactement au-dessus de la table.

Ça faisait bizarre... Tout avait l'air faux, comme au théâtre. Nous sommes restées en retrait, les filles, parce que Hermès, lui, s'est planté juste au bord de la table et il a contemplé le mort.

— Je le savais... murmura-t-il.

— Quoi ? fit Violette, la voix ténue et chevrotante. Qu'est-ce que tu sais ?

— Tu sais le nom de son assassin ? dis-je.

— Non. Je sais qu'il n'est pas mort comme on le croyait.

— Il est vivant ? s'exclama Annette.

— Chhhhhut…

— Il est vivant ? répéta pour elle Violette.

— Non. Je veux dire qu'il n'a pas été tué de la façon qu'on a cru. On a vu du sang, alors on a pensé…

— À un poignard.

— À un revolver.

Hermès secoua la tête.

— Ni l'un ni l'autre. Cette couleur mauve…

— Eh bien ? dis-je, palpitante.

— Ce n'est pas du sang. C'est… du fruit écrasé. Les fruits, ça prend cette couleur au bout d'un certain temps.

Des framboises, ou des fraises, plutôt des fraises, il y en a dans les plates-bandes du potager. Il n'est pas mort à cause d'une arme, il n'a donc pas saigné.

Il me fallut un temps avant de comprendre.

— Alors, ai-je questionné, il est peut-être mort de… d'une crise cardiaque ? De mort naturelle ?

Hermès fit une grimace.

— En ce cas, dit-il, qui aurait eu intérêt à le déplacer du potager au cagibi ? Et puis souviens-toi de…

Il se tut. Mais ses yeux me disaient : « Souviens-toi de la lettre de Dimitri. Souviens-toi que j'ai vu cet homme avec Papigrand... Et nous allons bientôt savoir s'il y a un coupable. »

— Madeleine, dit-il gravement après un silence. Madeleine, le moment est venu.

Je me suis retournée lentement. J'entendis le chuchotis de Violette :

— Où elle va ?

Puis celui d'Hermès :

— Elle va réveiller la maison. Elle va sonner Caroline.

COLIN-SIX ANS

Il avait réussi à se relever, enfin. Il fallait qu'il se cache ou bien ils allaient tuer Diable et Daniel Webster ! Ses mains étaient mouillées, il avait chaud, et très froid aussi, mais il tenait fermement son renard qui avait compris qu'il valait mieux ne plus bouger, faire le mort.

La lune s'était éclaircie, elle brillait plus clair. Quand il traversa les premières nappes de brume,

Colin-Six ans sut qu'il entrait dans les Frissons, qu'il allait pouvoir se cacher. Il entendait toujours les chiens, il voyait encore les lampes. Le sol disparut sous ses pieds, sa jambe piqua dans la boue comme dans du chewing-gum mâché. L'enfant ne put se redresser. Il y avait un arbre sec là, pour se retenir, mais il aurait fallu lâcher Diable et Daniel Webster. Les aboiements étaient tout proches, les lumières devenaient des ronds immenses.

— Putain ! cria une voix au-dessus de lui. C'est un gosse !

Colin-Six ans ferma les yeux. Ses deux jambes tombaient, tombaient, dans le chewing-gum...

— C'est le petit du château ! Il saigne !

— Oh, Jim ! Qu'est-ce que tu as fait ? dit une autre voix que Colin-Six ans reconnut. C'était celle de Blaise Rivière. Et, à côté de lui, Korvo avait cessé d'aboyer. Il gémissait comme s'il compatissait.

— Je croyais que c'était ce renard...

— Il est vivant ! Dieu soit loué, il est vivant ! Attends, petit, ne bouge pas, je viens !

Colin-Six ans sentit une large main ferme qui passait sous son bras, puis une autre, et il s'envola dans les airs, se hissa vers la lune !

Il sentit qu'on voulait le séparer de son renard, alors il le serra très fort. Il sentit aussi que Blaise Rivière les enveloppait tous les deux de sa veste, lui et Diable et Daniel Webster, et qu'il les emportait dans la nuit.

MADELEINE

La chaînette qui actionne la cloche se trouve dans le coin du hall le plus proche de la porte. Après un jeu de petites poulies, elle passe par un trou dans le mur pour s'accrocher à ladite cloche.

J'ai refermé le poing sur la chaînette. Cette partie du hall était plongée dans une demi-obscurité. J'ai rempli d'air mes poumons, deux fois de suite. À la troisième, j'ai expiré… J'ai tiré… Et Caroline a carillonné !

HERMÈS

Nous avions relevé deux coins de la nappe pour couvrir le corps et nous attendions, Violette, Annette, Madeleine et moi.

Mamigrand apparut la première, en bigoudis et robe de chambre. Maman la talonnait, puis Papigrand qui descendit avec son monte-personne électrique incrusté par un rail dans le mur.

— Que signifie ce vacarme ? s'écria Mamigrand, ulcérée. Violette ! C'est toi qui as sonné ? Réponds !

Et ce fut vraiment difficile de soutenir son regard froid et autoritaire sans répondre et sans baisser les yeux. J'ai baissé les miens au moment où arrivait oncle Gil, lequel fut immédiatement suivi de Clara avec son foulard en vichy sapin et son neveu Meyer.

J'ai pensé : « Ça y est, nous y voilà. »

Et j'ai croisé le regard clair de Madeleine. Ça m'a envoyé une bouffée de courage.

— Madeleine ! continuait Mamigrand dont la fureur croissait face à notre mutisme, Madeleine, c'est toi qui réveilles tout le monde à minuit ?

Madeleine me lança un bref coup d'œil. Tout le monde était là. Il manquait Rochelle, mais elle n'avait rien à voir avec la famille Coudrier. Quant à tante Édith, la vérité ne pouvait venir d'elle.

— Oui, répondit Madeleine à Mamigrand, c'est moi qui ai sonné la cloche.

— Bonté divine ! Mais pourq…

La stupeur la cloua sur place et un pesant silence

tomba. Je venais de rabattre la nappe. Tous les yeux s'étaient tournés vers le corps.

Très vite, mon regard passa de l'un à l'autre, de Mamigrand à Papigrand, de Papigrand à maman, de maman à oncle Gil, de l'oncle Gil à Clara et Meyer... Tous les visages ne manifestaient qu'une chose : la plus totale surprise.

Soudain, Meyer jeta un cri et se jeta sur l'homme mort allongé sur la table. Il le prit dans ses bras, le serra, l'embrassa avec des gémissements de souffrance.

J'avais tout imaginé, sauf ça.

— Stéphane ! cria Meyer en se mettant à sangloter. Stéphane ! Ce n'est pas possible !...

Clara plongea la figure dans ses mains et se mit à pleurer. Papigrand était livide. Mamigrand s'était mise à trembler. Maman s'était blottie avec effroi dans les bras d'oncle Gil.

Meyer se redressa pour nous faire face. Son visage si fermé d'habitude éclatait de haine et de douleur.

— Vous l'avez tué ! Vous l'avez tué !

Mamigrand s'avança :

— Vous connaissez cet homme, Meyer ? Qu'avez-vous à voir avec lui ? Clara... qu'est-ce que votre neveu a à faire avec cet homme ?

— Je ne suis pas son neveu ! hurla Meyer. Je ne suis pas son neveu ! Regardez ! Mais regardez donc !

Il rejeta sa frange en arrière, les yeux étincelants de fureur et de mépris, tirant ses cheveux et la peau de son front en un geste de rage insensé.

— Je ne suis pas un garçon ! Je suis une femme !

Et de se jeter à nouveau sur l'homme étendu en sanglotant de plus belle.

— Clara ! C'est donc… votre nièce ? reprit stupidement Mamigrand.

Clara secoua frénétiquement la tête en pleurant.

— Oui… non… bredouilla-t-elle.

Papigrand baissa la tête. Il avait compris. Moi aussi.

Je pris Clara par l'épaule. Elle se mit à pleurer sur la mienne.

— Meyer n'est ni le neveu ni la nièce de Clara, dis-je doucement, c'est sa fille. Et elle ne s'appelle pas Meyer mais Mariette.

Je sentais les larmes de Clara dans la couture de mon tee-shirt. Madeleine lui tendit un mouchoir, Clara releva la tête et s'essuya les joues et les yeux.

Papigrand se tassa au fond de son fauteuil, Mamigrand lui entoura le cou de son bras. Ce qui signifiait aussi bien qu'elle avait envie de le soute-

nir que de l'étrangler... Son œil jeta un éclair noir
sur Mariette :

— Pourquoi cet accoutrement ? Pour mieux
nous faire chanter, vous aussi ?

Sa langue remuait derrière les dents, comme si
elle avait des cailloux à recracher, ou du venin.

— Non, sanglota Mariette. Non ! Non ! Je n'y ai
jamais pensé ! Je ne l'ai jamais voulu ! Je voulais juste
m'approcher de vous ! De cette famille Coudrier !
Voir comment c'était d'en faire un tout petit peu
partie ! C'est tout ce que je désirais, m'approcher,
rien de plus !

Madeleine me lança un regard de désespoir. Ça
ne se passait pas comme prévu.

Soudain, une exclamation étouffée fusa derrière.
Nous nous sommes tous retournés d'un bloc.

Tante Édith, pâle, la chevelure en bataille, se
tenait dans l'embrasure de la porte. Sa main serrait
le chambranle ; elle vacillait, prête à tomber. Maman
voulut la retenir. Mais tante Édith la repoussa, hyp-
notisée par celui que Mariette appelait Stéphane.
Son visage était agité de tics, à la fois fasciné et ter-
rifié. Elle pointa son index osseux vers lui :

— Il est revenu ! Je l'avais caché pourtant !
Caché... ?

— Tante Édith, articulai-je doucement. Tu as caché cet homme ?

Elle hocha la tête avec frayeur, longtemps, comme pour s'en persuader elle-même.

— Je l'avais caché ! répéta-t-elle. Je ne voulais plus qu'il m'épie ! Je ne voulais plus qu'il vienne respirer fort dans ma chambre ! Il... il me faisait peur !

Son front alla cogner sur l'arête de la porte avec un petit bruit mat.

— Tante Édith, repris-je (ma voix était devenue un filet), est-ce toi qui l'as transporté du jardin au cagibi sous l'escalier ? Est-ce bien toi, tante Édith ?

— Il me faisait tellement peur ! gémit-elle. Il était debout dans ma chambre et... sa respiration me réveillait !

Elle se mit à parler, par bribes confuses et en frissonnant. Et nous avons à peu près compris à travers ses bouts d'explications embrouillées que pour transporter le berceau depuis l'appentis jusqu'au feu de bois de la fête, elle avait cherché la brouette. Elle la chercha dans le potager, la trouva... Mais à côté, elle avait aussi découvert le cadavre d'un homme dont le visage l'horrifia. C'était celui qui l'observait la nuit dans son pavillon ! L'homme qui respirait si fort et qui la rendait folle de peur...

Je compris bien que la respiration de cet homme était bêtement due au rhume et à son nez bouché. Et il n'observait pas tante Édith… D'elle, il se fichait complètement. Il fouinait pour alimenter son business ! « J'aime entrer dans les maisons. Ça peut être utile », avait-il avoué à l'oncle Dimitri.

Cet homme ignoble aimait découvrir des choses ignobles sur des gens ignobles…

Notre pauvre tante Édith avait cru qu'en enfermant dans le cagibi celui qui torturait son pauvre cerveau malade et nourrissait ses terreurs, elle enfermerait ses démons.

Un éclair me traversa l'esprit. J'entendais la voix de l'homme lorsqu'il avait dit à Papigrand : « Je sais où trouver de quoi me soigner… »

« Je sais où trouver de quoi me soigner… »

Je me mis soudain à trembler, comme pris de grosse fièvre.

J'ai plongé fébrilement la main dans ma poche et j'ai sorti le flacon de Rhinirhume.

– Clara, dis-je, le plus calmement qu'il m'était possible. Clara… Est-ce que ce flacon de gouttes te dit quelque chose ?

Clara renifla, releva le nez de son mouchoir.

– Oui, dit-elle tout bas. C'est un médicament

à Mlle Édith. Il est dans sa pharmacie normalement.

— Est-ce que c'est toi qui l'as acheté ? Ou l'infirmière ? Ou Mamigrand ?

Clara s'essuya les narines, secoua la tête et répondit sans hésiter.

— Je ne sais pas qui c'est qui l'a acheté. Mais ce flacon-là, il était dans la chambre de M. Dimitri. Il avait dû en avoir besoin. Quand il est... mort, qu'il a fallu ranger sa chambre, j'ai retrouvé ce flacon et je l'ai rapporté dans la pharmacie à Mlle Édith.

J'ai fermé les yeux. J'ai entendu un son, tout petit, sortir de la gorge de Madeleine. Quand je les rouvris, je vis qu'elle aussi avait compris...

Il n'y avait pas d'assassin !

Ou plutôt, s'il existait un assassin, il était posthume. Oncle Dimitri avait tué Stéphane le maître chanteur par-delà la tombe... Ce matin, après avoir parlé à Papigrand, Stéphane était allé prendre, pour se soigner, le flacon qu'il avait repéré dans le pavillon d'Édith, ce flacon qui aurait dû le tuer quelques mois auparavant !

Après avoir renoncé à le tuer, l'oncle Dimitri était revenu de son entrevue avec Stéphane à l'hôtel, il avait rangé dans ses propres affaires le flacon de Rhinirhume qu'il avait emprunté à tante Édith. Ce n'est qu'après sa mort que Clara avait remis le flacon à sa place logique : dans la pharmacie de tante Édith.

Une pensée me fit frémir… Et si tante Édith avait attrapé un rhume depuis avril dernier ? La probabilité devenait grande avec l'approche de l'hiver…

Nous avions à peine achevé notre explication, Madeleine et moi, au milieu des sanglots de Mariette, que le heurtoir de bronze de la porte d'entrée brisa le silence douloureux.

– Qu'est-ce que c'est ? souffla Mamigrand.

Elle se tordait les doigts et ça faisait un petit bruissement rêche.

– Madame Coudrier ! cria, dehors, la voix de Blaise Rivière ! Madame Coudrier ! Venez ! Venez vite !

Une seconde de flottement… Blaise Rivière ne devait pas entrer dans la salle à manger ! Pas avec cet homme étendu sur la table !

Mamigrand fut – évidemment – la première à reprendre ses esprits. Elle sortit très vite de la pièce en refermant soigneusement la porte sur nous.

Je me tournai vers maman, tante Édith, oncle Gil.

– Maman… Oncle Gil… Tante Édith… Mariette…

Je ne pus pas en dire plus. Madeleine est venue à mon secours. Elle s'avança, me prit la main (j'aime tant qu'elle me prenne la main comme ça, j'aime tellement ça que je ne sais plus respirer !) et sa voix soyeuse murmura :

— Oncle Gil, tante Édith, tante Rose... Mariette est votre sœur.

Et je respire, enfin, comme une délivrance, parce que j'éclate en sanglots entre les bras de maman, et ceux de Madeleine, et ceux de Clara et de Mariette...

Papigrand demeura recroquevillé, immobile, le front sur les poings, tout au fond de son fauteuil roulant.

MADELEINE

La porte s'est **rouverte** dans un claquement. Mamigrand était de retour, toute pâle, hors d'haleine :

— Viens ! jeta-t-elle à oncle Gil d'une voix que je ne lui connaissais pas. Vite par pitié !

Oncle Gil, tante Rose et moi, nous nous sommes lancés à sa suite. Comme j'étais la dernière, j'ai pensé à refermer la porte derrière moi.

Dans le hall, c'était terrible! Affreux! Colin-Six ans était étendu sur la banquette près de la porte. Il était couvert de sang. Debout près de lui, se dressaient Blaise et Jim, en tenue de chasseur.

Sur le sol, près du portemanteau, quelqu'un avait jeté la dépouille rousse et blanche d'un renard. Ils avaient donc fini par l'avoir... Je n'ai pas pu m'empêcher de lancer un regard de reproche à Blaise.

Mais il ne m'a pas vue, il était en train de chercher le regard de Rose. Et quand il l'a rencontré, il s'en est détourné avec toute la tristesse du monde.

— J'ai appelé le docteur sitôt qu'on l'a trouvé dans le champ, chuchota-t-il. Il est en route.

— Qu'est-ce qui s'est passé? murmura Mami-grand d'une voix nouée par la colère et l'angoisse.

— C'est moi, dit Jim après un silence. Le môme était accroupi près de l'épouvantail. Je l'ai pris pour cette saloperie de renard. D'ailleurs, vous voyez, il se trouvait là, lui aussi...

— Tais-toi, Jim! l'interrompit Blaise, la voix basse mais tranchante. Colin-Six ans n'a rien de grave, reprit-il à notre intention. Mais sans ce renard... Il le tenait dans ses bras, la balle de Jim est entré droit dans le renard et l'a tué net. Elle est ressortie mais comme sa trajectoire était déviée et sa force affaiblie, elle n'a fait, pour ainsi dire, que caresser l'épaule du petit. Mais sans ce renard…

— Sans le renard… murmura Rose.

Dans un élan instinctif, sans se préoccuper de notre présence ni de celle de Mamigrand, elle se blottit contre Blaise Rivière. J'ai levé les yeux vers lui. Il m'a semblé qu'il était aussi heureux qu'on pouvait l'être à ce moment-là.

La voiture du Dr Regain a freiné devant le perron dans un roulement de graviers et Mamigrand est allée lui ouvrir.

Après un bref examen, il nous confirma que ça n'était pas grave mais qu'il valait mieux emmener Colin-Six ans à l'hôpital par précaution.

— Je viens avec vous, docteur, dit Blaise en soulevant mon petit cousin endormi.

— Moi aussi, dit Rose.

— Moi aussi ! dit Mamigrand.

— Non, maman, décréta Rose d'un ton ferme. Occupe-toi de sa mère, occupe-toi d'Édith ! Blaise et moi, ça suffira.

Mamigrand a reculé sans un mot. Quand Blaise est passé devant elle avec Colin-Six ans dans les bras, il me revint qu'il avait refusé d'assister à l'enterrement de l'oncle Dimitri. Je croyais bien deviner

pourquoi, maintenant. Mais, un jour, je demande-
rai à Blaise des précisions. Je lui ferai lire la lettre afin
qu'il sache que moi non plus je n'étais plus dupe de
l'oncle Dimitri, ni de la famille Coudrier.

Mamigrand s'est penchée pour embrasser Colin-
Six ans.

– Il a dû faire une crise de somnambulisme,
murmura-t-elle.

Il a doucement ouvert les yeux. Puis, comme
frappé d'un souvenir, il s'est redressé pour chercher
autour de lui. Ce qui se passa ensuite fut terrible.

Le regard de Colin-Six ans tomba sur le renard
mort, étendu sur le sol.

Alors il se mit à hurler. Il hurla comme jamais je
n'avais entendu quelqu'un hurler, de tout son cœur,
de toute son âme.

Blaise l'avait emporté dans la voiture du docteur
qu'on l'entendait hurler encore.

MADELEINE

Nous sommes restés debout au milieu du hall
avec les hurlements de Colin-Six ans dans nos tym-
pans.

Violette et Annette, poussées par Hermès, sont timidement sorties de la salle à manger.

— Qu'est-ce que c'était ? demanda Violette.

— C'était quoi ? fit une voix en écho derrière nous.

La porte du salon de musique venait de s'ouvrir. Sur le seuil, clignant des paupières, se tenait... Rochelle !

Rochelle, mal réveillée, ébouriffée, l'air un peu *out,* qui ressemblait à un top model qui joue à être mal réveillée, ébouriffée et un peu *out*...

— *Morning ?* Déjà ? marmonna-t-elle.

Qu'est-ce qu'elle fout ici ? pensai-je. Elle est censée dormir dans la chambre d'oncle Gil !

C'était, apparemment, une question que l'assistance se posait. Sauf les jumelles qui se sont lancé des regards en dessous en pouffant pas très discrètement.

Rochelle fit une mimique confuse à oncle Gil.

— *Sorry,* dit-elle. J'ai été réveillée par des cris abominables et... *Oh, Gil ! Forgive me !* Je ne pensais pas trouver tout le monde ici ! J'ai fait ce que j'ai pu ! Excuse-moi mais ces cris... ça me donnait la chair de poule !

Gil lui a plaqué une bise sur la joue.

— C'est très bien, dit-il. Apparemment, c'est la nuit de la Vérité et des Explications... (Il se tourna vers Mamigrand.) Maman, commença-t-il. Maman, je veux te présenter quelqu'un que tu connais, mais que tu connais mal, aussi je te demande de n'en penser que du bien !

Comme si elle n'attendait que ça, une silhouette apparut en haut de l'escalier et se mit à descendre.

Quand elle arriva au bas des marches, je ne vis qu'une chose : la barrette dorée en forme de scottish-terrier qui attachait ses cheveux.

HERMÈS

Vêtue d'une robe de chambre avec, dessous, une chemise qui appartenait à... oncle Gil, les cheveux hâtivement relevés, Mlle Austerlitz se tenait devant nous. Très jolie, très intimidée.
Elle eut un mouvement gracieux des épaules. Sa main chercha celle d'oncle Gil.

— Vous... Vous devez vous demander ce que je fais ici, commença-t-elle.

— Pas du tout ! s'exclama Madeleine avec un rire un peu sec. C'est très clair.

Rochelle nous adressa une mimique.

— Le *MacGuffin* est découvert. Tout ça était trop compliqué !

Madeleine s'approcha de Mlle Austerlitz. Elle louchait sur ses cheveux.

— C'était vous ! s'écria-t-elle, l'air de découvrir une réponse à une énigme.

Elle sortit de sa poche un objet qu'elle tendit à Mlle Austerlitz. C'était une barrette dorée en forme de chien, jumelle de celle qui retenait en cet instant les cheveux de Fredericka Austerlitz.

— Oh, fit celle-ci, merci. Je l'avais perdue. Où est-ce que tu l'as trouvée ?

Madeleine parut sur le point de le dire. Puis elle se ravisa et secoua la tête.

— Je... J'ai déjà oublié ! dit-elle.

Et je sentis que cette réponse était douloureuse.

Oncle Gil, lui, gardait une expression parfaitement détachée et tranquille. J'oserais dire qu'il semblait soulagé.

Je lui dis :

— Nous pensions tous que toi et Rochelle... Que Rochelle et toi...

— Nous sommes amis, dit-il, laconique.

– *Just good friends !* renchérit-elle. J'ai déjà un *boyfriend* à Wellington.

Oncle Gil rit sans la moindre gêne :

– Avec Rochelle, c'est facile, elle a la manie d'em-brasser tout le monde tout le temps.

– *I love kisses.*

Oncle Gil entoura Fredericka de ses bras avant de l'envelopper d'un long regard tendre.

– Finie la comédie. Cette maison est saturée de mensonges. (Il se tourna.) Maman, si tu permets, et même si tu ne le permets pas, je te présente Frede-ricka Austerlitz, ma future femme.

J'ai pensé : « Alors lui aussi... Oncle Gil aussi, il avait eu la trouille de Mamigrand ! La trouille de lui présenter celle qu'il aimait, et que Mami-grand appelait si méchamment *l'Autrichienne*... Lui aussi avait monté une baraque avec Rochelle ! »

On a regardé Mamigrand. Son visage n'avait pas bougé d'un muscle. Puis elle a penché la tête, comme un petit salut, elle a serré la main de Fre-dericka en murmurant :

– Enchantée.

C'est tout. Mais il ne fallait pas lui demander plus qu'elle ne savait donner. Maintenant je savais qu'elle était capable de détruire une moitié de photo par haine, et garder l'autre moitié par amour. C'était Mamigrand. Je me suis avancé, mon cœur cognant à me fracasser les côtes. J'ai dégluti, et coassé :

— Oncle Gil... Tiens.

Je lui ai tendu les vingt-trois pages de la lettre d'oncle Dimitri. J'ai senti, sans le voir, le regard de Mamigrand qui me brûlait le cou. Une goutte a glissé sur ma tempe comme de l'huile tiède, j'ai continué :

— Elle t'est adressée, oncle Gil. On l'avait oubliée dans un tiroir.

J'avais subitement un tas de choses à dire, à expliquer, à demander aussi :

Qu'il faudrait rencontrer, et parler, et demander pardon à la famille d'Aïcha.

Que désormais Mamigrand ne me ferait jamais peur.

Que j'aimais mieux mourir que de ressembler à Papigrand ou à Dimitri.

Que maman avait raison, Blaise Rivière était un mec bien. Qu'il aurait à me raconter un jour comment il avait découvert le vrai visage de Dimitri, comment il avait cessé d'être son ami.

Et puis, aussi, appeler la police, expliquer qu'un

homme était étendu sur la nappe de notre salle à manger, mort d'un assassinat posthume.

Mais plus tard. Plus tard. Dans un tout petit moment... Car Madeleine vient de saisir ma main, et la serre, la serre, peut-être parce qu'elle a du chagrin, peut-être par défi, ou parce qu'elle m'aime bien, je n'en sais rien, je m'en contrefous, je veux que ça dure, un tout petit moment, j'aime tellement quand elle fait ça.

Cet ouvrage a été achevé d'imprimer
sur Roto-Page
par l'Imprimerie Floch à Mayenne
en juin 2021

N° d'impression : 98503
Imprimé en France